D0321007

La tête de l'emploi

Du même auteur

Romans

Je vais mieux, Gallimard, 2013

Les souvenirs, Gallimard, 2011 ; Folio, 2013

Lennon, Plon, 2010 ; J'ai lu, 2012

La délicatesse, Gallimard, 2009 ; Folio, 2011

Nos séparations, Gallimard, 2008 ; Folio, 2010

Qui se souvient de David Foenkinos ?, Gallimard, 2007

Les cœurs autonomes, Grasset, 2006 ; Le Livre de Poche, 2012

En cas de bonheur, Flammarion, 2005 ; J'ai lu, 2007

Le potentiel érotique de ma femme, Gallimard, 2004 ; Folio, 2005

Entre les oreilles, Gallimard, 2002

Inversion de l'idiotie : de l'influence de deux Polonais, Gallimard, 2001

Théâtre

Célibataires, Flammarion, 2008

Ouvrages pour la jeunesse

Le saule pleureur de bonne humeur, avec Soledad Bravi, Albin Michel Jeunesse, 2012

Le petit garçon qui disait toujours non, avec Soledad Bravi, Albin Michel Jeunesse, 2011

DAVID FOENKINOS

La tête de l'emploi

Roman

J'ai lu

www.jailu.com

PREMIÈRE PARTIE

1

Un jour, mes parents ont eu l'étrange idée de faire un enfant : moi.

Je ne suis pas certain de saisir leurs motivations. Il est d'ailleurs possible qu'ils ne les connaissent pas eux-mêmes. Peut-être ont-ils fait un enfant un peu pour faire comme tout le monde. Je ressens encore en moi les vibrations de mes premières années, où j'étais assis au milieu du salon comme une improbable boule humaine. Mes parents me touchaient du bout des doigts, et m'embrassaient du bout des lèvres. Il y avait comme une distance de sécurité entre nous, on aurait dit qu'ils avaient peur de m'aimer. Peur d'attraper une sorte de maladie dont on ne pourrait pas se défaire. Qui sait ? Ils pourraient être contaminés par la douceur, et propulsés dans l'envie de faire un autre enfant.

J'en rajoute sûrement un peu. C'est toujours le cas, non ? Je n'ai jamais rencontré quiconque qui soit capable de parler de ses parents de manière posée, honnête et juste. Ce que j'analyse comme de la distance est *sûrement* leur façon de m'aimer. Car ils m'aiment. Je ne possède pas le dictionnaire qui me permettrait de comprendre leur affection, mais je sens bien que cette affection existe. Ce n'est pas forcément concret. On se téléphone de temps à autre, on ne se dit pratiquement rien. On survole les sujets de manière indolore, et c'est justement dans ces conversations vides que je puise une forme de tendresse. On n'a pas toujours besoin de mots. Nous nous aimons comme des mollusques doivent s'aimer. Et je crois que cela me convient plutôt bien. J'ai probablement renoncé à l'ambition d'être aimé par mes parents comme je le souhaiterais. De toute façon, et quoi que nous fassions, nous ne serons jamais rassasiés en amour.

D'emblée, notre histoire a mal commencé : ils ont décidé de m'appeler Bernard. Enfin, c'est un prénom sympathique. Au cours de ma vie, j'ai croisé quelques spécimens bernardiens, et j'en conserve plutôt un bon souvenir. Avec un Bernard, on peut passer une bonne soirée. Le

Bernard impose une sorte de familiarité tacite, pour ne pas dire immédiate. On n'a pas peur de taper dans le dos d'un Bernard. Je pourrais me réjouir de porter un prénom qui est une véritable propagande pour se faire des amis. Mais non. Avec le temps, j'ai saisi la dimension sournoise de mon prénom ; il contient la possibilité du précipice. Comment dire ? En somme, je ne trouve pas que ce soit un prénom gagnant. Dans cette identité qui est la mienne, j'ai toujours ressenti le compte à rebours de l'échec. Certains prénoms sont comme la bande-annonce du destin de ceux qui les portent. À la limite, Bernard pouvait être un film comique. En tout cas, avec un tel prénom, je n'allais pas révolutionner l'humanité.

Choisir un prénom est si difficile. Il ne s'agit pas non plus de mettre le paquet dans le sens inverse. Je suis toujours stupéfait qu'on appelle un enfant Ulysse ; imaginez si le pauvre se retrouve timoré à la vue de son ombre. Et bien sûr, il est toujours un peu risqué d'appeler sa fille Marilyn ou Lolita. C'est le genre de prénom qui ne laisse pas vraiment le choix ; on doit avoir la sensualité dans les veines. Ainsi, je n'ai pas à me plaindre. Si Bernard n'est pas synonyme de réussite, ce n'est pas pour autant un prénom repoussant. Il pourrait presque être charmant. Je dis *presque*. Voilà, c'est moi. Mon prénom n'est ni extravagant ni flamboyant. Je flotte dans un entre-deux qui me va bien. Je suis du genre incapable de choisir son camp. J'entends souvent les gens s'interroger sur ce qu'ils auraient fait pendant la Seconde Guerre mondiale. Auraient-ils résisté ou collaboré ? Pour moi, la réponse ne fait pas de doute : ni l'un ni l'autre.

Mon père s'appelle Raymond, et s'il n'a pas été résistant[1], il a rageusement observé la guerre depuis sa chambre. Adolescent dans les années 1940, il aurait voulu s'engager au combat. Il avait douze ans quand son grand frère était mort au front, dès le début de l'attaque allemande. Le jeune Raymond avait alors installé au-dessus de son lit une photo de son héros. La mort de l'aîné avait plongé toute la famille dans un état d'hébétude. Raymond avait vu ses parents mourir tout en restant vivants. Ils étaient devenus des ombres du quotidien, et même la Libération ne les avait libérés de rien. Ils demeureraient emprisonnés

1. Enfin, au sens historique, car il faut une certaine capacité de résistance pour vivre avec ma mère.

à jamais en 1940, l'année du télégramme fatal. Un an après la fin de la guerre, ils étaient partis vivre près d'Orléans, et Raymond s'était retrouvé seul à Paris. Il y avait vécu ses premières années d'homme la peur au ventre, ce qui lui fit admettre qu'il n'aurait jamais pu être un combattant. Tout l'effrayait, et il se révélait incapable de se faire des amis. Les dernières années avec ses parents, passées dans un silence assourdissant, lui avaient ôté toute capacité sociale. Sans trop y croire, il avait entamé des études de droit mais, écrasé par tous les jeunes gens dans la force de l'âge et la certitude de tout, il avait très vite renoncé. Il avait alors trouvé une place plus à sa mesure : veilleur de nuit dans un hôtel. La nuit, derrière son comptoir, il se sentait enfin à l'aise. J'imagine parfois mon père, à l'abri, heureux dans son cocon d'ombre.

C'est d'ailleurs en cet endroit, au début des années 1950, qu'il rencontra Martine : ma mère. Elle venait à Paris pour la première fois, à l'occasion de l'enterrement de sa grand-mère. Elle n'osait montrer son bonheur de découvrir enfin la capitale (elle était originaire d'Orléans, un pur hasard). Alors que ses parents s'étaient effondrés, elle ne pouvait pas dormir, trop excitée à l'idée de se trouver enfin dans la ville où tout se passait. Elle profitait du moindre moment de liberté pour marcher dans n'importe quelle rue, et tenter de se perdre. En respirant l'air de Paris, elle avait l'impression d'inhaler du jazz, d'avoir en elle le Saint-Germain fantasmé, toute une mythologie dont on pouvait s'imprégner simplement en ouvrant la bouche. J'ai un peu de mal à imaginer ma mère marchant dans sa jeunesse. Le passé de nos parents demeure un roman impossible à écrire. On peut recouper les situations, coller des bribes et assembler des virgules, mais quelque chose d'incongru est inhérent à cette réalité-là. Raymond et Martine sont fixés au présent dans mon esprit. Je les vois avec des chaussons devant la télévision, je les vois se disputer pour une dépense imprévue, je les vois devenir de plus en plus intolérants envers autrui, je les vois dans leur vieillesse et leur lenteur, et pourtant ma mère marche de plus en plus vite dans cette rue parisienne qui devient la sienne. Les quelques jours passés ici lui offrent l'éclat de sa première certitude : elle ne quittera plus cette ville. Il faut qu'elle trouve une raison de rester. Et souvent les raisons se trouvent au rez-de-chaussée.

Raymond, fidèle à son poste, rayonnant dans son ambition amoindrie, offrait de timides sourires à cette jeune cliente descendue dans son hôtel avec ses parents. Martine ne connaissait encore rien de la vie mais, comme toute femme, elle savait lire l'intensité d'un regard masculin. Elle savait qu'il ne s'agissait pas d'un simple regard de courtoisie, d'un regard de professionnel de l'hôtellerie. Elle voyait dans ce regard un trouble qui était comme un reflet du sien. Ce jeune garçon, qu'elle n'aurait peut-être jamais remarqué à Orléans, prit une importance démesurée dans le contexte parisien. Raymond était au bon endroit, au bon moment (c'était sa plus belle qualité). Et cette position lui valut un sourire en retour. Nous étions en 1953 : la mort de Prokofiev venait d'être éclipsée par celle de Staline, mais ces deux événements n'eurent pas la moindre importance pour mes parents. Le soir du dernier jour, ma mère redescendit pendant la nuit, pour retrouver le veilleur de l'hôtel. Et ils s'embrassèrent.

Ensuite, la vie passa.

Alors que j'aborde la cinquantaine, mes parents consomment leur vieillesse. Il y a peu encore, quatre-vingts ans me semblait un âge canonique.

Ils vivent leur vie le plus discrètement possible, comme pour se faire oublier de la mort. Le secret de la longévité, c'est sûrement ça : ne pas faire de bruit. Et il ne faut pas hésiter à utiliser des patins. Mes parents sont obsédés par les patins. Quand je vais chez eux, avant même de les saluer ou d'entamer la moindre conversation, je dois immédiatement glisser sur ces morceaux de tissu. Ma femme, dont le métier est psychologue[2], pense que mes parents ne veulent pas que je laisse une trace de mon passage. C'est sûrement une interprétation excessive.

Je pourrais aussi réfléchir à une autre question, celle qui concerne tous les enfants uniques. Pourquoi mes parents n'ont-ils pas eu d'autre enfant ? Est-ce ma faute ? Les enfants uniques sont sans cesse partagés entre les deux pôles d'une interrogation : leur présence a-t-elle comblé d'une manière totale le besoin d'enfant de leurs parents ? Ou alors : la naissance d'un seul enfant aura-t-elle suffi à réprimer définitivement chez les géniteurs une seconde envie ? En d'autres termes, avais-je émerveillé mes parents, ou les avais-je dégoûtés ?

2. Ma vie quotidienne est une analyse.

C'est souvent ce que j'allais ressentir avec eux d'ailleurs, une incompréhension totale. Notre histoire, celle d'un fils unique et de ses parents, était sans âme. J'enviais presque les familles hystériques où les discordes éclataient à coups de cris et de larmes. Nous, nous n'avions pas même l'énergie d'une petite dispute.

J'ai souvent pensé que mes parents auraient fait de bons personnages de roman. On confère toujours d'étranges qualités aux silencieux, aux discrets. On peut même les juger insaisissables. Le lecteur se poserait des questions. Sont-ils fous ? Sont-ils lisses ? Que sais-je encore ? Je n'estimais pas être le mieux placé pour les comprendre. Mais ce ne serait pas toujours vrai. Les prochains mois allaient bouleverser non seulement ma vie, mais également mon rapport à eux.

2

Malgré le nombre des années écoulées, j'éprouvais toujours une joie immense à me réveiller près de ma femme. À observer sa longue chevelure noire étendue sur l'oreiller blanc. D'un point de vue capillaire, je l'aimais comme au premier jour. C'est avec ses cheveux que j'aurais dû vivre. Toutefois, je ne peux pas dire que nous étions comme ces couples qui ne font plus que se frôler. Mon cœur battait encore quand je regardais Nathalie, peut-être pas tout le temps, peut-être même rarement, mais à tout moment je pouvais être transpercé par le bonheur d'être avec elle. Certains appellent cela *les intermittences du cœur* – une formule que j'aime bien tout en n'étant pas certain de la saisir parfaitement. J'aime aussi le prénom de ma femme ; je l'aime autant que je déteste le mien. Nathalie, c'est la naissance. Et ce fut notre promesse.

À l'époque de notre rencontre, Nathalie Baye venait de remporter un César. Je ne sais plus pour quel film. *La Balance* sûrement. Oui, ça doit être *La Balance*. Je n'ai jamais été très doué pour me souvenir des choses, des titres surtout. J'ai l'amnésie facile. Mais la première fois que j'ai vu celle qui allait devenir ma femme, je ne peux pas l'oublier. Elle portait un pull marinière, et marchait d'une manière lente, très lente, si lente d'ailleurs qu'elle ne marchait peut-être pas. Après tout, cela m'arrange. J'aime l'idée que notre rencontre soit un souvenir immobile. Enfin, pour elle. Car pour moi, les choses sont simples : je suis tombé. Au moment de la croiser, j'ai glissé. Je suis entré dans sa vie par la chute. Parfois, quand nous nous disputons, elle me dit :

« J'aurais dû me méfier. Comment ai-je pu vouloir faire ma vie avec quelqu'un qui m'est tombé dessus ? J'aurais dû me méfier. C'était un signe.

— Mais... tu trouvais ça très beau.

— Tu t'es cassé la clavicule, et je t'ai emmené à l'hôpital. Je ne sais pas comment j'ai pu trouver ça beau.

— Je n'aime pas que tu remettes en cause la beauté de notre rencontre. Tu vois Nathalie, tu peux tout me reprocher, mais pas ça. Elle est belle notre rencontre...

— ... »

J'avais raison. Notre rencontre était belle. Peu de premiers rendez-vous se passent ainsi à l'hôpital. Alors bien sûr, on se dispute parfois, on se sent frustrés, il nous arrive même de croire qu'on serait plus heureux ailleurs. Mais c'est une illusion, je le sais. Ailleurs, c'est juste la version amnésique de notre présent.

En sortant de l'hôpital, j'avais un gros bandage. Je lui ai dit mon prénom, et elle a eu un grand sourire. Je ne veux pas être paranoïaque, mais c'était un sourire qui voulait sûrement dire : « Avec ton bandage, tu as vraiment une tête à t'appeler Bernard. » Nous avons marché un peu dans la rue. Je repense si souvent à cette soirée où tout a basculé. Cela paraissait tellement facile de tomber amoureux dans les années 1980. J'aime cette époque. On a souvent caricaturé ces années, en les appelant *les années fric*, en les associant à une forme de vulgarité, de libération du rapport à l'argent ; mais avec du recul, et alors que la brutalité progresse sans cesse, elles paraissent presque douces à présent.

Nos premiers mois furent pour le moins étonnants. Nathalie étudiait avec passion la psychologie. Chaque fois qu'elle me demandait de m'allonger, j'espérais un peu d'érotisme, mais non : elle voulait m'analyser. Ainsi, la position horizontale n'a jamais été réellement liée à la sexualité entre nous. J'étais son cobaye. Elle voulait que je parle, que je raconte mon enfance. Elle semblait très intéressée par ce que je disais sur mes parents. En y repensant, je me dis maintenant que c'est peut-être grâce aux névroses de mes parents et à celles qu'ils m'ont transmises que j'ai séduit ma femme. Cela dit, il n'y avait pas de quoi remplir plus d'une dizaine de séances. Elle semblait déçue que je ne sois pas plus compliqué que ça : notre début d'histoire amoureuse ne lui servait pas à grand-chose pour ses études. Alors je me suis mis à devenir bipolaire. Pour devenir un cas intéressant à ses yeux, et donc passer du temps auprès d'elle, j'ai développé toutes sortes de folies douces. Ce n'était pas facile, surtout pour un jeune homme comme moi, irradiant de normalité.

Il faut croire qu'elle a apprécié mes efforts pour lui plaire. Un jour, elle me libéra : « Bernard, je t'en prie, redeviens naturel. » J'avais peur qu'elle ne s'ennuie en me découvrant tel que j'étais. Pourtant, quelque chose s'était passé en moi. À jouer les fous, j'avais gagné en originalité. Je me sentais heureux des détours que j'avais empruntés, comme si les voyages vers d'autres personnalités m'avaient révélé. J'avais le sentiment d'être en accord avec moi-même, pour la première fois. C'était peut-être lié à l'amour que j'éprouvais. Ce sentiment bizarre d'être assis à la bonne place. Je me souviens tout particulièrement d'un soir, quelques mois après notre rencontre, où nous nous sommes embrassés longuement, un baiser qui me sembla différent des autres, *un baiser référence*. Un baiser auquel tous les autres baisers devraient se référer. Je n'avais plus peur. Je savais que Nathalie allait devenir ma femme.

3

Vingt ans plus tard, notre fille Alice quittait le domicile familial. J'avais encore *le baiser référence* sur la bouche, et voilà que le fruit de notre amour était là, sur le perron avec deux grosses valises. La vie était donc une machine à accélérer le temps. Elle partait, et nous allions être seuls. Après tout, c'était notre faute : nous n'avions bêtement fait qu'un seul enfant. Pourtant, je m'étais fait comme tout le monde la promesse de ne pas reproduire ce que j'avais vécu. Cette tristesse d'être enfant unique. Mais Nathalie n'a pas pu tomber enceinte une seconde fois. Je m'étais senti responsable de cette injustice, comme si je portais en moi le gène transmissible de la solitude. Cette frustration avait été apaisée par la présence lumineuse d'Alice, présence quotidienne qui s'achevait maintenant pour toujours. Les enfants ne retournent jamais vivre chez leurs parents...

Nous faisions tout pour cacher notre désarroi, mais Alice savait nous lire. Elle minimisait son départ : « C'est à São Paulo d'accord, mais c'est juste un stage. Et on pourra se parler par webcam... » Cette dernière phrase m'achevait. Ma fille, j'ai pour coutume de la serrer dans mes bras, un point c'est tout. Nous ne l'avions pas mise au monde pour l'aimer à travers un écran, et avoir des conversations soumises à notre connexion Internet des plus chaotiques. Elle répétait que ce n'était que pour un an, deux tout au plus... une chance formidable. Oui, c'est vrai. Je tentais de m'en persuader, mais ses deux grosses valises me narguaient ; elles étaient comme deux voleurs de mon passé. Et puis São Paulo, ce n'était pas possible. Ce n'était pas un nom sérieux. On ne fait pas de stage au Brésil. C'est un pays où l'on boit des cocktails en exhibant ses seins. Où on passe son temps à danser et à jouer au football pieds nus. Un pays de vacances. Franchement, pourquoi le Brésil ? Revenait-on jamais d'un tel endroit ? Elle aurait l'air idiot après, notre petite France maigrichonne, avec son climat tempéré et sa normalité. Alice aurait un coup de foudre pour le Brésil, c'était sûr, on n'allait jamais la revoir. Mon angoisse était profonde. Pourtant, elle avait toute sa vie ici, ses amis, et même : nous.

Je dois avouer une bonne fois pour toutes ma propension à tout voir en noir[3]. Ma fille partait étudier en Amérique latine, et je la voyais déjà épouser un joueur de bossa nova, qui l'emmènerait en tournée dans les villes les plus reculées du pays, le genre de ville injoignable. Il se pourrait même qu'elle se fasse enlever par des indigènes en Amazonie, comme dans *La Forêt d'émeraude*, de John Boorman, où le héros perd son fils dans l'immensité sauvage. Voilà ce qui m'attendait. La façon dont je moulinais ainsi, tel un scénariste spécialisé en cauchemars familiaux, semblait épuiser Nathalie :

« Tu es complètement fou, avec ta *Forêt d'émeraude*...

— Et pourquoi ? Tout est possible.

— Bernard... je crois que tu as un gros problème avec l'abandon. Tu as peur qu'on te quitte...

— Moi ? Mais ça n'a rien à voir. Ne commence pas à m'analyser.

— Allonge-toi.

— Non ! »

3. Je n'aurais jamais dû lire cette biographie de Schopenhauer en trois volumes.

Ce n'était pas le moment. Je savais qu'il n'y avait rien à dire, rien à analyser. J'avais simplement besoin d'exprimer mes angoisses. Moi qui retiens toujours tout, cela me faisait du bien. Même si j'admettais qu'en cet instant je pouvais aisément passer pour un fou. Tant d'émotions parcouraient mon corps, parfois contradictoires. Il m'arrivait, subitement, de me trouver habité par un immense sentiment de fierté, celui de voir ma fille devenir femme, et je pouvais alors dire à Nathalie : « Tu te rends compte ? Elle part au Brésil... C'est merveilleux. Tu te rends compte ? »

Le soir de son départ, nous avons décidé de boire. Nous avions l'appartement pour nous. J'ai ouvert une bouteille de vin rouge, et nous avons commencé à évoquer des souvenirs. Des moments d'enfance de notre fille. On parlait de Guignol et de son premier amoureux, Thibaut ou Thimothée, je ne sais plus. On parcourait ces images qui étaient les nôtres. Sûrement porté par l'ivresse, sans savoir vraiment pourquoi, je me suis mis à rire.

« Ça me fait plaisir de te voir rire, fit Nathalie.

— Pourquoi tu dis ça ? Je ris souvent.

— Non, tu ne ris jamais Bernard. Tu es sinistre.

— Ah bon ? Tu es sûre ?

— Certaine.

— Mais la dernière fois... quand on a vu ce spectacle... je ne sais plus...

— C'était il y a deux ans.

— Ah, déjà...

— Oui, déjà...

— C'est le stress au travail, aussi. C'est dur en ce moment.

— Je sais. Enfin, je me doute. Tu ne racontes pas grand-chose.

— Ah bon ? Mais j'ai l'impression que je te dis tout...

— Non, tu ne parles pas... en tout cas... pas beaucoup.

— Alors je ne ris pas, je ne parle pas... quoi d'autre ? Qu'est-ce que je ne fais pas d'autre ?

— Tu veux vraiment que je te dise ?

— ...

— ...

— ...

— Tu veux ?

— Euh non, ça va suffire pour ce soir... »

Alors qu'elle s'annonçait festive, la soirée fut un naufrage. Nous eûmes le vin tragique. Il faut croire que la présence d'Alice nous avait empêchés d'avoir de vraies discussions sur notre couple, tant les phrases de la désolation amoureuse coulèrent sur nous dès son départ. Les enfants masquent les fissures de nos murs. J'ai découvert ce soir-là, pour la première fois, que tout pouvait s'effondrer. Comme tous les hommes dépourvus de mots, j'ai tenté une utilisation hasardeuse des gestes. Je me suis approché de Nathalie. Je me sentais plus que jamais privé d'assurance. J'étais attaqué par le doute. Nathalie regardait ces mouvements incertains, chaotiques, incapables de guider convenablement leurs intentions. Je flottais dans une peur qui n'avait pas encore de nom. Cette peur qui survient d'une seconde à l'autre, alors qu'elle ne semblait pas exister dans le monde précédent, le monde de la certitude affective, tandis que l'on pénètre subitement un nouveau monde vacillant, le monde d'une femme qui détourne le visage au moment où l'on cherche à l'embrasser. Mon esprit voyagea alors vers l'image du *baiser référence*, car le rejet présent était comme une nouvelle référence. La version noire de notre union. J'attrapai son bras, chuchotant « que se passe-t-il ? », ou « parle-moi », et même « je suis là ».

Nathalie n'avait pas envie de parler, sa bouche semblait assise dans une nouvelle tristesse, inédite. Quelques minutes auparavant, nous étions d'humeur taquine, et voilà qu'on se laissait nimber d'une ambiance de drame conjugal. Le mieux était d'aller se coucher. Le départ d'Alice nous avait bouleversés, c'était aussi simple que ça. Je devais comprendre qu'il nous agitait profondément, en soulignant notre âge peut-être. J'avais cinquante ans, Nathalie aussi, et c'était comme une frontière qui se dessinait sur nos vies. De quel côté de cette frontière allions-nous ? Ça, je ne pouvais pas le dire encore.

4

J'ai repensé aux mots de Nathalie. Avait-elle raison ? Je m'étais enfermé. J'avais l'impression de parler, de me raconter, lors de nos dîners à la maison, mais au fond je n'en étais plus certain. Advient un moment où il semble sans intérêt de partager ses pensées. On se dit que l'autre va s'ennuyer à nous écouter. Nous-mêmes, nous nous ennuyons en écoutant l'autre. Je peux bien l'avouer, les péripéties professionnelles de ma femme ne m'intéressent plus guère. La folie d'Untel ou l'étrange pathologie d'un autre sont des conversations que j'ai l'impression d'avoir déjà eues mille fois. Avec les années, on en vient à survoler nos vies, on confie des bribes de manière mécanique. On partage des résumés, alors qu'on aimait tant les digressions. Parler des heures pour ne rien dire, cela me manque. Maintenant, nous parlons quelques minutes et cela suffit à tout se dire. Elle a raison, je parle peu, je parle trop peu :

j'enfouis. Les mots se sont enfuis de moi. Mon côté banquier peut-être. Les chiffres ont progressivement pris possession de ma vie. Et il me semble difficile de faire des phrases avec des chiffres.

J'ai passé une longue nuit à ne pas dormir. Entre mon ressenti et mes actes, quelque chose ne collait pas. Si je parlais moins, si je riais moins, je me sentais tout aussi amoureux. Ne pas avoir envie d'écouter ma femme le soir n'était pas le signe d'un désintérêt. Je crois que l'on peut aimer sans les mots. C'est peut-être lié à mon enfance de mollusque. Certains ont besoin de preuves, de gestes, et je peux bien le comprendre, mais je ne suis pas comme ça. Mon amour pour Nathalie est tout aussi fort qu'au début. Simplement, je l'aime d'une manière différente. Il y a dans ce que les autres appellent péjorativement *la routine* une affection calme que j'adore. Je suis un amoureux du quotidien. Je fais partie de cette race qui ne cherche pas à pimenter sa vie de couple. J'aime la tendresse, la simple présence de l'autre. Le temps qui passe possède une valeur rassurante, une valeur sans laquelle je ne vaux rien. Je ne peux pas m'imaginer sans Nathalie.

Comme tant de mes collègues, j'aurais pu la tromper. Les occasions ne m'ont pas manqué. Non que je sois doté d'un physique particulièrement attractif, mais les congrès de banquiers se transforment systématiquement en orgies. Tout le monde couche avec tout le monde, sans distinction. Vient une heure où la simple perspective de dormir seul rend n'importe qui séduisant. Les secrétaires les moins désirables deviennent, l'espace d'un week-end, les promesses les plus érotiques. Plus rien n'a de valeur loin de chez soi. J'observe cela d'un œil amusé. Je vois les mensonges s'enchaîner les uns aux autres dans la valse médiocre du plaisir à bas coût. Le lendemain matin, nous nous retrouvons autour d'une table pour parler des nouveaux taux de crédit, mais je sens à quel point tous attendent l'apéritif pour se sauter dessus. Pendant ces congrès, alors que ma vie n'avait aucun éclat particulier, je me sentais supérieur aux autres. Peut-être était-ce absurde, car je ne tirais aucune gloire de ma fidélité, mais j'aimais d'une manière primaire mon mariage.

D'ailleurs, avec mes collègues, je ne partage pas grand-chose. Les dernières années, j'ai noué avec eux assez peu de relations amicales. Au vu des difficultés actuelles, et de l'accentuation évidente des rivalités professionnelles qu'elles entraînent, il est peu probable que la situation vienne à changer maintenant[4]. En un sens, c'est triste. J'éprouve une forme de nostalgie en repensant à mes premières années. À ce monde qui n'existe plus. Quand j'ai commencé à travailler dans la finance, autour de moi cela faisait rêver. Dans les années 1980, banquier c'était vraiment une belle profession. Ça imposait le respect, on voyait en vous l'éclat de la réussite. C'était bien. Pourtant, je m'étais aventuré dans ce secteur un peu par hasard. Après le baccalauréat, j'avais poursuivi des études d'économie, sans trop savoir ce que je voulais faire. Pendant un temps, j'avais pensé enseigner, mais je n'étais pas certain d'avoir les capacités requises. Être exposé en permanence aux regards d'élèves, je ne m'en sentais pas capable. Enfin, je voulais bien qu'on m'observe, mais une personne à la fois, pas en collectivité. Pendant l'été 1981, pour gagner un peu d'argent, j'ai fait un stage à la BNP. Je ne pouvais pas imaginer que ce stage allait durer toute ma vie. J'allais gravir les échelons jusqu'à devenir conseiller financier. Au fond, ça n'était

4. C'est d'ailleurs au lycée, avant le début de ma vie professionnelle, que j'ai rencontré mes deux meilleurs amis : Jean-Michel et Jean-Marc.

pas surprenant. Quand j'ai annoncé à mon père que j'étais embauché, il m'a dit :

« Ça ne m'étonne pas.

— Ah bon ?

— Petit, quand tu jouais au Monopoly, tu voulais toujours faire la banque.

— ... »

Lors de mon premier stage, la banque était en pleine effervescence. Avec l'élection de François Mitterrand et l'arrivée de ministres communistes au gouvernement, il fallait rassurer les clients fortunés. J'ai vu d'emblée ce qu'était un bon banquier. Je me souviendrai toute ma vie de Laroche, Aurélien Laroche, un artiste de la finance. On disait qu'il était capable de faire souscrire à un mort une assurance-vie (de l'humour de banquier). Je l'observais avec fascination, et il devait aimer ça : qu'on le regarde ainsi. C'est lui qui m'a embauché. Il estimait que j'avais *la tête de l'emploi*.

« Tu vois mon petit Bernard... ce qui compte pour être banquier, c'est d'avoir une bonne tête...

— ...

— Et toi, tu as une bonne tête. Ton CV, tes études, tes références, je m'en fous. Ce que j'aime, c'est ta tête.

— ...

— Je t'embauche, parce que tu as une tête de banquier.

— Merci... » balbutiai-je, sans trop savoir si je devais me réjouir ou non d'une telle déclaration.

Quoi qu'il en soit, j'ai beaucoup appris auprès de cet homme. Quelques années plus tard, alors qu'il n'avait pas encore soixante ans, il fut emporté en plein après-midi par une crise cardiaque. Il est tombé à la renverse, d'un coup. Au début, nous sommes restés sans bouger, certains qu'il nous faisait une des blagues dont il était coutumier. Laroche était un boute-en-train, un homme qui semblait vivre deux ou trois vies en même temps, alors ça ne paraissait presque pas possible que tout s'arrête ainsi. Il ne s'est pourtant jamais relevé. Trois jours plus tard, tous les employés de l'agence étaient réunis autour de son cercueil. Si personne ne pleurait, nous étions unis par une forte émotion. Et puis, par un autre sentiment. Comment dire. Un sentiment de stupéfaction. Oui, c'est ça. Nous étions *stupéfaits*. Stupéfaits de voir si peu de monde à son enterrement. La vérité de Laroche éclatait subitement à nos yeux. Alors qu'il parlait sans cesse de ses week-ends entre amis, de sa femme ou de ses nombreuses maîtresses, des fiestas à n'en plus finir chez lui le samedi soir, voilà qu'on le découvrait seul. Atrocement seul. À part les employés de la banque, une dizaine de personnes seulement étaient présentes à la cérémonie. Il y avait sa femme, et son fils unique. Ils n'avaient pas vraiment l'air affectés. Chaque seconde de cette scène respirait le pathétique. J'ai tenté de dire quelques mots réconfortants à sa femme, mais ces mots-là sont sortis dans un souffle timoré, sûrement inaudible. Je crois simplement qu'il n'y avait rien à dire.

Très rapidement, la banque a repris son allure de croisière. Plus personne ne parlait de Laroche. Il fut vite oublié. Tout comme j'oubliais progressivement les détails de mon été 1981. Cette époque me paraît si lointaine qu'il m'arrive parfois de ne plus être certain qu'elle a existé. Les années se sont enchaînées les unes aux autres, presque comme si elles s'étaient chevauchées. On fermait les yeux en novembre, pour les rouvrir au mois de mars de l'année suivante. Je travaillais comme un fou. En plus de mes heures de bureau, je suivais toutes les formations proposées par la BNP pour être au courant des derniers produits financiers. Rien ne devait m'échapper. Cette application fut payante, car je devins donc conseiller financier. Avec mes propres clients, et mon propre bureau. Et même : mon nom sur la porte. Cela peut paraître ridicule, mais je suis resté de longues minutes devant cette porte le jour de ma nomination. Avoir son nom sur une porte, c'est enfin la preuve que l'on existe. J'existais. Une autre preuve capitale demeurait la carte de visite. J'étais comme un gamin avec ma carte. J'adorais la donner à tout le monde, et surtout à n'importe qui. C'était une époque bénie pour les banquiers. Les prix de l'immobilier ne cessaient de flamber. Il fallait prendre des crédits, il fallait investir. Nous étions au cœur du système. Quand je sortais ma carte de visite, je percevais une pointe d'admiration. C'était notre âge d'or.

Et puis, tout s'est effondré. La crise est partie des États-Unis, avec les *subprimes.* On avait accordé des crédits n'importe comment, propulsant des milliers de foyers au bord du précipice. Les achats reposaient sur des sables mouvants. À l'heure des nouvelles technologies, l'argent aussi avait tenté de devenir virtuel. Mais vient un temps où il faut rendre des comptes à la réalité. Le matériel a revendiqué son autorité, et l'une des plus grandes banques du monde s'est effondrée. Entraînant la sphère financière dans sa chute. Nous étions là, estomaqués, face au gouffre. Les banques européennes ont vacillé à leur tour. Des États entiers étaient tout proches de la faillite. Tout le monde a commencé à se méfier de l'argent, et des ravages liés à la spéculation. J'ai senti le regard des gens changer sur ma profession. Nous étions devenus des escrocs. Et des gens comme Madoff n'ont rien arrangé. En plus, ce salopard s'appelle Bernard. Bernard Madoff. Il a ruiné des centaines de personnes, poussant certaines de ses victimes au suicide. Comment vivre quand on a perdu le fruit de sa vie ? Madoff a écopé de 185 ans de prison. Je ne savais pas que cela était possible. Les Américains croient probablement en la réincarnation. Après sa mort, le bébé qui sera sa nouvelle incarnation naîtra directement en prison.

Et voilà que j'étais assimilé à cet homme-là. Les banquiers étaient désormais de potentiels arnaqueurs, des vautours enrichis sur le dos des épargnants. Les gens ne se doutaient pas que je n'étais pas payé à la commission, que j'avais un salaire raisonnable mais pas mirobolant, que je venais tout juste de finir de rembourser le crédit d'un trois pièces à Paris. La situation actuelle faisait que nous n'avions plus la moindre prime. Je sentais un décalage entre ce que j'étais et ce qu'on percevait de moi. Et encore, la BNP n'avait pas été éclaboussée par des scandales comme ceux du Crédit Lyonnais ou de la Société Générale. Je devais aussi payer la location de l'appartement d'Alice à São Paulo. Je n'étais pas à plaindre, mais j'étais loin de me sentir riche. Nathalie, de son côté, avait aussi perdu quelques clients. Faire un travail sur soi devenait un luxe.

C'est dans ce contexte-là que je fus convoqué chez Laperche. Jean-Philippe Laperche. C'était mon patron. L'homme qui dirigeait l'agence depuis presque trois ans. Il y a ceux qui gravissent un à un les échelons à la sueur de leur front (moi), et ceux qui arrivent directement au sommet (lui). Homme sec, issu d'une grande lignée bourgeoise, il avait étudié dans les meilleures écoles, y compris aux États-Unis, et on pouvait imaginer qu'il était entré à l'ENA sans trop transpirer. Si je pouvais lui reconnaître des capacités de gestionnaire, ce n'était pas quelqu'un de très doué sur le plan relationnel. En trois ans, il n'avait pas fait le moindre effort pour nouer des liens personnels avec quiconque. À part bien sûr les secrétaires de l'agence, ou les stagiaires, qu'il tentait inlassablement de sauter dans son bureau. On découvrait alors que son visage pouvait être doté d'une option sourire. J'avais du mépris pour cet homme, mais comme tout homme qui veut conserver son travail, je tentais de me montrer affable. Il ne me félicitait jamais de mes résultats, estimant que la réussite ne méritait aucun commentaire. En revanche, il sautait sur la plus infime erreur pour me convoquer. Ainsi, nos échanges verbaux n'étaient jamais associés à rien de positif. Je marchais donc fébrilement vers son bureau.

À peine fus-je entré dans la pièce qu'il m'ordonna de m'asseoir. Ce que je fis. Il en profita pour téléphoner. Sans même croiser mon regard, ni même s'excuser. Il se doutait forcément de mon appréhension, qui ne faisait qu'accentuer le plaisir sadique qu'il avait à faire durer le moment. Il me laissait tout entendre de sa conversation, une histoire de dîner familial à organiser chez lui, et en réglait les menus détails sans la moindre gêne.

« Excusez-moi, Bernard[5]. C'était une urgence. Vous savez, les femmes...

— ...

— Enfin peu importe. Pourquoi voulais-je donc vous voir ?

— ...

— C'est vrai ça, pourquoi ? Je perds la tête. Je ne vois que ça.

— Mais non... vous allez vous souvenir...

— Ah oui... oui... ah... » fit-il la mine soudain assombrie.

Il se dirigea alors vers sa machine à café.

« Bernard, je vous sers une tasse ?

— Euh... oui. Merci... »

Je ne buvais jamais de café après 15 heures, ça m'empêchait de dormir. Mais, après une réflexion expresse, j'ai estimé qu'il ne serait pas de bon ton de refuser. Tout le monde savait l'amour de Laperche pour le café. Il en buvait plus d'une dizaine par jour, il aurait pu considérer mon refus comme un affront. Et puis, c'était une première. Jamais auparavant il n'avait partagé avec moi cette convivialité liquide. Subitement, je fus foudroyé

5. C'était la première fois qu'il m'appelait par mon prénom.

par une certitude : ce n'était pas bon signe. Alors que cet homme était là, tout près de moi, à me préparer avec soin une tasse de café, en me demandant comment je l'aimais, court ou long, avec ou sans sucre, avec ou sans lait, je pensais à ce qu'il allait me dire. Oui, plus il m'épuisait de toutes les possibilités du café, plus je sentais qu'un seul et unique chemin s'ouvrait à moi : celui de la porte. J'allais me faire virer.

Après tout, la situation était très compliquée. La banque devait éponger des dettes considérables. Il fallait bien gérer la crise pour ne pas couler. Et cela passait forcément par des réductions de personnel. Lambert avait reçu sa lettre de licenciement la semaine précédente. Le pauvre type. Marié, deux enfants en bas âge, le choc avait été abominable. On avait tous été là pour le soutenir pendant qu'il faisait ses cartons, on lui tapait gentiment dans le dos, en lui disant que le marché allait repartir, que ça n'était qu'une mauvaise passe, une sale période qui ne durerait pas, alors voilà on le rassurait du mieux qu'on pouvait, mais il ne faut pas se leurrer, on l'entourait de nos mines attristées, nos mines de novembre, alors que nos cœurs bondissaient en été, tant nous étions soulagés d'avoir été épargnés, et que ça soit tombé sur Lambert.

Pendant deux minutes, Laperche regarda religieusement couler le café. Avant de reprendre enfin la tasse, et de me la donner comme s'il m'offrait une augmentation démentielle.

« Vous allez m'en dire des nouvelles. Je fais venir ces capsules directement de Colombie...

— Ah...

— Eh oui, quand on aime, on ne compte pas...

— C'est sûr...

— Bon... bon... Bernard, je voulais vous voir...

— ...

— Vous savez que la situation est très compliquée en ce moment...

— Oui...

— J'ai dû me séparer de... Jambert...

— Lambert.

— Quoi ?

— C'était Lambert... monsieur...

— Oui, c'est ce que j'ai dit. Lambert. Ce brave Lambert. Je peux vous dire que ça n'a pas été une décision facile. Mais bon, je l'ai prise en mon âme et conscience. Je me suis dit qu'il était jeune, et que ce serait facile pour lui de retrouver du travail... Mais bon, rien n'est sûr de nos jours... Vous pensez que j'ai bien fait ?

— Bien fait de quoi ?

— Eh bien... de virer Lambert.

— Mais... je ne sais pas... je...

— J'aurais peut-être dû virer Patino. Vous pensez quoi de Patino ?

— Vous me demandez ce que je pense de Patino ?

— Oui, c'est ce que je vous demande.

— Eh... bien... c'est un très bon professionnel...

— Ah... vous trouvez ? Bon, très bien. C'est vrai... vous avez sûrement raison. Je vais garder Patino alors.

— ...

— Vous savez, j'ai des directives terribles en ce moment. Ça vient d'en haut. De très haut. Le siège a demandé à tous les directeurs d'agence de trouver des solutions...

— ...

— Alors voilà, c'est un peu compliqué, mais il faut qu'on se retrousse tous les manches... et donc, je vais devoir réduire encore le personnel.

— Ah...

— Mais je ne veux pas toucher aux conseillers financiers. C'est notre base. C'est l'essence du métier.

— Oui, je suis bien d'accord.

— Je vais devoir me séparer de Mireille. Elle fait du très bon travail au guichet. Elle est très souriante. Mais je dois alléger la masse salariale.

— Je comprends…

— Et donc, je voudrais que vous la remplaciez.

— Quoi ?

— Enfin, pas à temps plein bien sûr. Vous conservez votre bureau, et votre poste. Mais il faudrait que vous soyez au guichet une vingtaine d'heures par semaine.

— …

— Vous m'avez entendu ?

— Euh… Oui.

— Alors ?

— Mais… ce n'est pas possible…

— C'est comme ça. Je ne peux pas faire autrement.

— Et… et mes clients ?

— Vous vous arrangerez… nous n'avons pas le choix. Vous me comprenez ? Je ne peux pas faire autrement.

— …

— Vous voulez un autre café ? »

Je suis sorti de son bureau, complètement abasourdi. Je devais accepter de redescendre au rez-de-chaussée de l'ambition pour conserver mon poste. Mais pourquoi moi ? J'avais une telle ancienneté. Je ne méritais pas ça. Alors que je lui avais tout de même demandé une explication sur sa décision, il avait répondu de manière laconique : « Vous avez une bonne tête, Bernard. J'ai besoin de quelqu'un comme vous à l'accueil... » Ma bonne tête avait bon dos. C'était une humiliation. On devait tout accepter pour ne pas finir dehors. Je me suis enfermé dans mon bureau. J'avais envie de pleurer ou de crier. Quelque chose se déchaînait en moi, mais je demeurai immobile. Ma dévastation était sédentaire. J'étais figé par le choc. J'avais le sentiment que les trente dernières années de ma vie venaient d'être réduites à néant.

5

C'est à partir de ce moment-là que j'ai commencé à tout garder pour moi. Je ne pouvais pas partager cette humiliation avec ma femme. J'ai traversé cette première soirée à la façon d'un souvenir dans la vie d'un amnésique. Je suis resté assis sur le canapé, regardant la télévision ; enfin non, ne regardant pas la télévision, mais simplement l'observant. Nathalie, elle aussi, m'observait. Pour paraître normal, je lui adressais régulièrement de petits sourires que j'espérais décontractés. Sa mine hallucinée m'obligea à me rendre compte que j'avais probablement l'air d'un demeuré à sourire ainsi, par soubresauts, comme une ampoule en fin de vie. Elle finit par déclarer qu'elle allait lire au lit. Je fus soulagé. J'avais déjà beaucoup à supporter aujourd'hui, je ne me sentais plus la force de jouer le rôle du mari normalement fatigué.

Un peu plus tard, j'ai rejoint Nathalie. La chambre était plongée dans une obscurité que je jugeai amicale. Nous n'aurions pas à parler. Depuis mon entretien avec Laperche, je rêvais de m'enfouir dans la pénombre et le silence. Seul le néant pouvait m'apaiser. Mais une fois que je fus allongé (il était un peu plus de minuit), Nathalie alluma la lumière.

« Désolé... je t'ai réveillée ? ai-je marmonné.

— C'est tout ce que tu as à me dire ?

— Pardon ?

— Tu as oublié ?

— ... Quoi ?... Quoi... Qu'est-ce que j'ai...

— ...

— Ton anniversaire !

— ...

— Oh mon amour... je suis désolé...

— ...

— Je suis vraiment... je ne sais pas quoi faire... je suis trop...

— ... »

Je comprenais mieux pourquoi Nathalie avait passé sa soirée à faire des allers-retours devant moi. Elle espérait une réaction de ma part. J'avais oublié son anniversaire. Autant le dire tout de suite : dans la république du couple, cela mérite la peine capitale. Sans procès. Sans explication. Je pourrais toujours mettre en avant les soucis que j'avais eus aujourd'hui, rien n'y ferait. Au bout d'un moment, alors que je bafouillais des excuses, elle se redressa :

« Bernard, ça ne peut plus durer.

— Quoi ? Qu'est-ce que tu dis ? Je me suis excusé. J'étais préoccupé. Mais je vais me rattraper.

— Non. C'est trop tard. C'est un signe trop fort cette fois. Depuis des mois, on ne se regarde plus. Et là... c'est la goutte qui...

— Mais non ! Tu dis n'importe quoi. Je passe mon temps à te regarder.

— Et ce soir ?

— Ça peut arriver.

— D'oublier l'anniversaire de sa femme, ça peut arriver ? Pourquoi tu te mens ? Pourquoi tu ne me dis pas la vérité ? Tu n'es plus avec moi.

— ... »

C'était faux, tellement faux. Je ne pouvais pas lui dire ce qui m'était arrivé, car je sentais bien la réalité de sa tristesse. Elle ne me reprochait pas mon attitude immédiate, mais semblait considérer cette soirée comme le point final d'une lente désintégration que j'avais été incapable de voir. J'avais toujours eu tellement de retard sur la réalité. Je le savais. C'était mon défaut. Je comprenais les vies après les enterrements.

J'ai bafouillé à nouveau des mots d'excuse, mais c'était peine perdue. Pour la seconde fois, la lumière s'est éteinte sur cette atroce journée. En essayant de m'endormir, j'ai tenté de me réfugier mentalement auprès de ma fille, et puis non, ce n'était pas une bonne idée, ma fille n'était plus là, le temps où les enfants sont l'essence rassurante de nos vies n'existait plus non plus. Je ne trouvais rien d'apaisant à quoi m'accrocher, aucun radeau dans ma mémoire, alors j'errais de manière immobile (pour ne pas en plus perturber le sommeil de ma femme) dans mon chaos intérieur.

Le lendemain, tentative pathétique, j'ai voulu mettre un peu de gaieté dans notre petit déjeuner. Par exemple, je n'ai pas mis les infos à la radio, mais plutôt une chaîne de jazz. Je tentais d'adoucir la situation, en commençant par le son. Nathalie partit, me laissant orphelin de mes tentatives. Je suis resté un instant assis dans la cuisine, suspendu dans le vide, avant de me rappeler que je détestais le jazz. C'était tellement symbolique. Je tentais d'agir au mieux, dans la précipitation, en m'écartant de l'essentiel : ce que je voulais vraiment, ce que j'aimais. Et par conséquent, ce que j'espérais pour nous. Je nageais dans une indécision totale, comme un homme stérile du cœur.

6

Les semaines qui suivirent ne furent qu'une progression dans le pénible. Nathalie ne pardonna pas mon oubli. À vrai dire, ce n'était pas tout à fait ça. Elle confirma qu'elle considérait ce fait comme l'acte révélateur d'une situation grave. Elle osa même prononcer des phrases telles que :

« C'est cassé entre nous.

— ...

— Depuis longtemps, ce n'est plus pareil. »

Je ne savais que répondre à ça. Et puis, à quoi bon ? Elle ne voulait plus écouter mes réponses. Elle dit : « J'ai besoin de réfléchir. » Et tout le monde sait à quel point ce besoin de réflexion est mauvais signe. Quand une femme dit vouloir réfléchir, c'est tout réfléchi. Je commençais à comprendre son manège. C'était finalement assez délicat. Elle voulait nous pousser à la séparation, mais d'une manière indolore. Comme si cela était possible. Je l'aimais trop pour que ça puisse être indolore. Peut-être aurais-je préféré une scène violente, et pourquoi pas brutale, plutôt que ce goutte-à-goutte de notre agonie.

Elle parvint à me faire accepter une séparation temporaire. J'avais admis qu'il nous ferait peut-être du bien de respirer loin l'un de l'autre. J'avais surtout compris que c'était le seul espoir d'améliorer notre situation. Il fallait abonder dans son sens, son sens que je trouvais absurde et tragique. Je jouais le rôle de l'homme digne qui veut sauver son couple, alors que je n'avais pas compris le diagnostic. Je n'osais dire à Nathalie que, avec les frais du stage de notre fille à l'autre bout du monde et la diminution de nos revenus respectifs, ce n'était pas le meilleur moment pour dilapider nos quelques économies dans une séparation. J'avais envie de lui dire que nous n'avions pas les moyens de vivre ce petit drame bourgeois. Mais j'avais choisi l'option profil bas. On attend que ça passe. Ce n'est qu'une turbulence passagère, il faut simplement bien resserrer sa ceinture.

J'ai d'ailleurs fait ma valise d'une manière désinvolte, sans trop épouser le drame, comme si je prenais simplement quelques vacances de ma femme. Je ne voulais pas alourdir la situation, je préférais me mentir en acceptant son idée, en la jugeant même bénéfique.

« Ça va aller ? demanda-t-elle.

— Oui. Ça va. Tu as sûrement raison. Ça nous fera du bien.

— Je suis content que tu me comprennes.

— Je te comprends, Nathalie. Et j'ai tout compris. Si ça se trouve, on peut même éviter cette histoire de séparation. Tout est clair maintenant.

— Bernard...

— Bon, d'accord.

— ...

— ...

— Tu vas où ? Chez Jean-Marc ?

— Non.

— Chez Jean-Michel ?

— Non. Non. Je n'ai envie de voir personne. Je vais aller à l'hôtel.

— Ah...

— Quelques jours à l'hôtel. Comme un touriste.

— Ah oui, c'est ça. Un touriste à Paris...

— ... »

Soudain, j'avais envie de lui dire que j'allais être un touriste de ma vie. Que sans elle j'allais passer des jours à marcher dans mon corps sans savoir où aller. Je quittais notre appartement comme un homme, alors que je voulais pleurer comme un enfant. Je voulais me jeter à ses pieds, et l'implorer de ne pas m'abandonner. Je ne savais pas pourquoi les années avaient créé chez moi une intense fragilité. Adolescent, je n'avais jamais ressenti de telles failles. Je m'étais construit sur la sécheresse de mes parents. J'y avais même puisé une certaine force. Mes premières années dans la vie active avaient été pleines de promesses. Est-ce que la vie grignote chaque jour le meilleur de ce que nous sommes ? Je me sentais délesté de mes envies ; j'étais devenu plus que jamais la version triste de moi-même. Je me sentais absent de quelque chose, inaccessible au désir. Je ne sais pas ce qui s'était passé. Et les difficultés que je traversais maintenant ne m'étonnaient presque pas. Ma vie se mettait en adéquation avec une intuition de l'échec qui sommeillait en moi depuis toujours.

J'ai choisi un hôtel près de la banque. C'est le seul intérêt que je pouvais trouver à ma situation : aller à pied au travail. J'avais entendu parler de cet établissement par certains de mes clients provinciaux qui y avaient séjourné lors de leurs passages à Paris pour nos rendez-vous. À ce que j'avais compris, c'était un endroit calme, dans une rue tranquille, à l'abri du tourbillon incessant du quartier. Le lieu avait tout du refuge pour couples adultères, mais moi je n'allais tromper personne. La femme qui m'accueillit demanda, à la vue de la taille de mon sac :

« C'est pour une nuit ?

— Euh… non…

— Pour combien de nuits alors ?

— Je ne sais pas vraiment.

— Ah…

— …

— Vous avez… des problèmes dans votre couple ? osa-t-elle.

— …

— Pardon, je suis trop indiscrète.

— Non… non… mais je veux bien ma chambre. S'il vous plaît.

— Oui bien sûr. Je vais vous donner la 114. Elle est au premier étage. Au fond du couloir. Vous serez bien. Ça va aller.

— Tout va bien. Merci.

— Tant mieux alors. Tant mieux.

— … »

Elle m'a fixé encore quelques secondes avant de me donner ma clé. Je me suis dirigé vers ma chambre, tout effaré qu'elle ait pu émettre une telle hypothèse.

Pouvait-on lire à ce point-là ma vie sur mon visage, comme on ouvre un roman ? Ou alors, avais-je une vie si commune ? Je trouvais terrible qu'on puisse se dire rien qu'en me regardant : « Cet homme a forcément des problèmes avec sa femme. » Je rêvais d'être mystérieux, insondable. Je voulais bien souffrir, à la condition que ma souffrance soit extraordinaire. J'avais mal d'être le pauvre type dont la vie est celle de tout le monde. J'aurais voulu que cette femme ne puisse pas deviner si j'étais un touriste, un agent secret, ou si j'avais un rendez-vous de la plus haute importance érotique. C'était idiot, mais je n'arrivais pas à oublier ce qu'elle avait dit. Elle avait sûrement parlé comme ça, sans réfléchir, mais ses mots avaient éveillé en moi un sentiment insupportable. J'en avais assez d'être moi : j'étais trop prévisible. Je ne voulais plus de l'épuisante normalité qui coulait dans mes veines.

J'ai eu beaucoup mal à m'endormir. Je suis resté au lit sans rien faire, ruminant sur la mauvaise passe dans laquelle j'étais. Je n'avais pas envie de regarder la télévision, ni de lire. Au bout d'un moment, j'ai tout de même allumé mon ordinateur pour envoyer un message à Alice. Sa mère et moi nous étions mis d'accord pour ne rien lui dire de notre situation. Cette décision m'avait en quelque sorte rassuré. Ne pas partager ce que nous vivions, c'était ne pas le rendre concret. Je m'endormis réconforté par cette pensée basée sur un mélange de mythomanie pure et d'autopersuasion vaguement efficace.

Pendant la nuit, j'ai cru saisir quelques bribes de conversation en provenance du couloir. Je ne savais pas si je rêvais ou si j'étais éveillé : sûrement un peu des deux, car il m'a semblé un moment entendre mes parents parler en japonais.

7

Le lendemain matin, je me suis réveillé très tôt. Le petit déjeuner ne devait pas être encore servi. Je me suis habillé rapidement, sans qu'il y ait de raison précise à cette précipitation. Je me suis installé sur le bord du lit, face à l'immense miroir de la salle de bains, visible depuis la chambre quand la porte était ouverte. Face au spectacle de mon visage, le temps me parut encore plus long. Devant mon nez, on s'ennuyait franchement. En fermant les yeux, ce n'était pas mieux. Je rencontrais ma conscience, ce terrain broussailleux, semé de nombreuses incompréhensions et de quelques frustrations, d'une forte dose de nostalgie et d'un peu de mélancolie, d'envies enfouies et de désirs écrasés, le tout formant une sorte de docile chaos.

En revanche, d'un point de vue physique, j'étais en forme. Je ressentais cette énergie surprenante de certains lendemains de cuite. En général, notre corps (par fierté ?) fait illusion pendant quelques heures. La suite de la journée me dirait si je demeurerais aussi vaillant, mais pour l'instant je me sentais léger. À sept heures précises, je descendis dans la salle du petit déjeuner. Je fus étonné de tomber à nouveau sur la réceptionniste. Comment pouvait-elle travailler le soir et le matin ? Sa façon de s'adresser à moi la veille m'avait mis sur une fausse piste : je l'avais prise pour une sorte d'intérimaire mollassonne, une personnification de la désinvolture. Ma première impression était donc erronée, comme souvent. Avec le temps, j'avais pourtant appris à étouffer mes intuitions. Je remarquai aussi une chose étrange : elle avait exactement le même visage que la veille. On eût dit que la nuit n'avait eu aucune prise sur elle. Dès qu'elle me vit, elle m'envoya un grand sourire ; la version muette d'un bonjour tonique. Cette expression appuyée sur son visage me fit comprendre qu'elle n'était pas très à l'aise avec moi, sans doute à cause de sa remarque intrusive. Elle arbora d'ailleurs une mine gênée au moment de m'approcher :

« Bonjour monsieur. J'espère que vous avez bien dormi.

— Oui, merci.

— Que puis-je vous servir ?

— Je vais prendre... un thé. Avec un peu de lait.

— Très bien...

— ...

— Je voulais encore m'excuser pour hier... j'ai été très maladroite...

— C'est oublié.

— Si vous avez besoin de quoi que ce soit, n'hésitez pas à m'appeler.

— Très bien, merci. »

Elle a alors quitté la minuscule salle, me laissant seul. J'étais gêné. À l'évidence, cette femme était bipolaire. Le soir, elle débitait tout ce qui lui passait par la tête (une véritable passoire à pudeur) et, le lendemain matin, elle se confondait en excuses. Par son attitude, voulait-elle me divertir de mon chagrin ? Je pouvais la remercier d'être un sujet de réflexion, le temps de quelques minutes, me permettant de m'éloigner de mes propres soucis. Revenue de la cuisine, elle me servit mon thé, accompagné de quelques toasts à la cuisson parfaitement dosée. La salle était si petite qu'elle ressemblait à une cuisine d'appartement. Nous aurions presque pu être deux amoureux au réveil dans leur logement. Le dérapage auquel je me laissais mollement aller prit fin avec l'arrivée d'un couple de touristes allemands. L'employée de l'hôtel, dont je ne connaissais pas le nom[6], les accueillit avec un grand sourire. Le même sourire qu'elle m'avait adressé ; elle ne me préférait donc pas. Bénédicte échangea quelques mots avec les nouveaux arrivants, et je dus admettre une chose : elle parlait parfaitement allemand, cette langue que j'avais toujours aimée plus qu'aucune autre. Je la trouvais même érotique, ce qui avait toujours amusé Nathalie. Je lui avais demandé de l'apprendre, pour qu'elle puisse me susurrer quelques mots le soir dans la pénombre. « Tu es fou », avait-elle répondu amoureusement. Si seulement je pouvais encore être un peu fou à ses yeux.

6. J'allais l'apprendre plus tard. Elle s'appelle Bénédicte, et cela lui va plutôt bien.

8

Le temps passa et je dus admettre que Nathalie ne trouvait rien à redire à la situation. Je menais une vie de VRP dans ma propre ville. Hôtel, restaurant en formule tout compris le soir, et endormissement devant les chaînes d'infos en continu. Plusieurs fois, j'ai tenté des allusions à l'éventualité de mon retour. Elle les repoussait immédiatement ou faisait mine de ne pas comprendre, ce qui revenait au même. Je n'insistais pas, espérant que le temps ferait son œuvre de reconstruction. Il faut dire aussi que j'avais de nombreux soucis professionnels, qui reléguaient parfois au second plan mes problèmes conjugaux. À la banque, la situation devenait de plus en plus tendue. J'avais dû accepter d'être au guichet de temps à autre. Je me retrouvais en première ligne, à devoir m'occuper des remises de chèques, des retraits, ou à compter l'argent de ceux qui payent leurs factures en liquide. Je répondais aux interrogations des nouveaux clients, tentais de calmer leur agacement quand ils n'avaient pas encore reçu leur nouveau chéquier, ou vérifiais les erreurs de leurs derniers relevés. Une succession de petits désordres épuisants, de quoi me faire admettre que, malgré la pression de devoir être efficace et rentable, j'avais été bien heureux, protégé dans mon bureau. Je passais des heures pénibles, mais c'était ainsi : il fallait se retrousser les manches. Le monde de l'argent vacillait, alors je m'accrochais comme je pouvais. Je n'étais pas le plus à plaindre.

En revanche, je suis moi-même devenu l'objet de plaintes. Enfin, disons d'interrogations. J'avais bien remarqué l'étonnement dans le regard de certains de mes clients qui, passant à l'improviste, me découvraient au pied de l'échelle bancaire. Je me contentais de leur adresser un petit sourire gêné. Bien sûr, si je pouvais m'échapper un instant, je prenais le temps de leur expliquer la situation. Si certains approuvaient mon sens du collectif, d'autres laissaient percevoir un doute. Comme si cette position trahissait forcément une dégradation, et donc la possibilité que je ne sois pas aussi compétent qu'ils l'avaient imaginé. C'est pour cette raison que Laperche me convoqua :

« Je vous attendais, fit-il un matin, alors que j'ouvrais à peine la porte et que mon corps était encore dans le couloir.

— Ah... j'espère que je ne suis pas en retard.

— Non, non, ne vous inquiétez pas.

— ...

— Asseyez-vous.

— ...

— Je ne vais pas tourner autour du pot... Certains de vos clients mettent en doute vos capacités à gérer leur compte.

— Mais pourquoi ?

— Je ne sais pas. Vous êtes peut-être distrait en ce moment ? Vous avez des soucis... personnels ?

— Non... enfin, là n'est pas la question. De qui s'agit-il ? Et qu'ont-ils dit ?

— Vous verrez de qui il s'agit. Car je vais devoir les transférer à Vindry.

— Vindry ? Mais il vient d'arriver. Il ne connaît pas...

— Il est très motivé.

— Mais...

— Je dois vous avouer que je suis assez surpris. Jusqu'ici je n'avais jamais rien entendu de négatif sur vous.

— Mais... je suis surpris moi aussi. Je ne comprends pas... je ne comprends pas du tout. C'est peut-être parce qu'ils m'ont vu au guichet... c'est déstabilisant pour un client. Ce n'était pas une bonne idée. Il faut arrêter ça. Oui, il faut que j'arrête le guichet...

— Ah... c'est peut-être ça. C'est possible.

— Alors arrêtons. Je dois me concentrer sur mes dossiers.

— On ne peut pas arrêter.

— Mais pourquoi ? Vous voyez bien que ça ne m'aide pas...

— Ce que je vois, c'est que la situation est difficile. Alors, c'est comme ça.

— ...

— Et je vais vous demander un effort supplémentaire. Puisque vous avez moins de clients, vous allez devoir passer davantage de temps au guichet.

— Mais...

— Je n'ai pas le choix. J'ai une agence à tenir. C'est à moi qu'on demande des comptes. Vous entendez ? C'est à moi, pas à vous. Alors vos états d'âme, je ne peux pas m'en préoccuper.

— ...

— ...

— Si j'ai moins de clients, j'aurais moins de commissions... ai-je alors balbutié.

— Oui, sûrement.

— ...

— Ne faites pas cette tête. Il faut avoir confiance dans l'avenir. C'est avec des types comme vous qu'on va pouvoir rebondir. Franchement, voyez la Société Générale, ils viennent de faire une charrette. Estimez-vous heureux de conserver votre emploi.

— ...

— C'est une chance, je vous le dis. »

Il m'a alors fait un signe de la main : je pouvais me lever et quitter son bureau. Ce n'était pas un homme très doué pour les transitions ; il ne m'avait dit ni bonjour ni au revoir. Je suis resté dans le couloir, qui ne m'avait jamais paru si étroit. Un couloir qui devient un entonnoir. J'avais l'impression de ne pas pouvoir avancer. Les murs m'écrasaient. Je devais lutter. L'hostilité prenait le dessus. Une hostilité qui m'immobilisait, sans que je puisse déterminer si ce qui me pétrifiait était une rage inouïe ou un profond abattement. Il arrive que les sentiments les plus opposés provoquent une même réaction. Cela ajoute à la confusion. Je ne sais pas combien de temps je suis resté ainsi, dans l'absence de moi-même.

Au bout d'un moment, une des secrétaires de l'agence, Delphine, ou peut-être était-ce Marguerite, ou Rosa je ne sais plus, s'est arrêtée face à moi. Elle a passé sa main devant mon visage, sûrement plusieurs fois, en balayage, tentant de ramener mes yeux vers le réel. Elle a dû me demander : « Ça va ? » Et j'ai répondu : « Oui, ça va. » Alors que non, bien sûr que non, ça n'allait pas. Mais il fallait faire comme si. Ce que j'ai fait. Je suis passé aux toilettes pour m'asperger le cou d'eau froide. Je me suis fixé dans la glace, et j'ai forcé ma bouche à former un sourire, un grand sourire. Plusieurs fois de suite, je me suis ainsi obligé à ouvrir la mâchoire. Il fallait sourire. Il fallait montrer que tout allait bien. Oui, tout va bien. On va se battre. J'avais comme une boule dans le corps, une boule d'enfance, cette boule de peur qu'on découvre vers sept ou huit ans, elle était là, à nouveau en moi, se propageant partout, saisissant maintenant ma nuque. Mais je tenais bon. La peur ne devait pas parvenir à faire fuir mon sourire. Le sourire de l'homme que je jouais à être. Que je devais être. Que je n'avais pas le choix de ne pas être. Et c'est avec ce sourire greffé à mon expression que je suis sorti des toilettes. J'ai marché de manière décontractée vers le guichet qui m'attendait. Je me suis assis sur ma chaise, et j'ai ôté le panneau indiquant que je m'absentais pendant quelques minutes. Une petite vieille s'est alors avancée vers moi péniblement ; on aurait dit la forme humaine d'une agonie. Une fois qu'elle fut face à moi, j'ai pris une grande inspiration, avant de lui dire, du soleil plein la voix : « Bonjour madame. Que puis-je faire pour vous ? »

9

Si j'avais laissé filer les années, sans réussir à les retenir entre mes mains, plus que jamais je vivais une période où je n'avais aucune prise sur le réel. En d'autres termes, je subissais. Auparavant, je m'étais représenté la vie comme une irrésistible ascension. On progressait dans la connaissance des choses, dans l'expérience, et socialement bien sûr. Mais voilà qu'à cinquante ans, je dormais dans un hôtel moyennement insonorisé et ma carrière se retrouvait sur le paillasson de mon ambition. Que faire dans un cas comme celui-là ? Se jeter par la fenêtre ? Option ridicule, d'autant que ma chambre se trouvait au premier étage. Réagir ? Ma nature m'avait poussé à croire qu'en patientant les choses s'arrangeraient. Mais il fallait croire que non. J'avais laissé à ma femme le temps de prendre du recul, en espérant que de plus loin elle verrait, dans une vision d'ensemble, l'évidence de notre bonheur. Ce ne semblait pas être le cas. Plus je laissais passer de temps, plus je la sentais reculer. Et moi, je ne voulais pas que Nathalie devienne un point minuscule à l'horizon. Comment avais-je pu être si docile ? Ce qu'elle attendait de moi, c'était une réaction. Je comprenais maintenant, adossé au rebord de la fenêtre de ma chambre d'hôtel, que je devais agir. Que je devais lutter pour que ma vie fasse demi-tour sur le chemin du déclin. Mon acceptation des situations passait pour de la faiblesse, en était peut-être. Je m'en rendais compte ce soir, enfin.

J'ai enfilé rapidement mon manteau, et suis sorti. J'ai cherché un taxi, levant le bras de temps à autre, mais il n'y a que dans les films qu'on en trouve un tout de suite. Dans la vraie vie, le temps de l'action est bouffi par les ratages, les longueurs, les impossibilités de trouver un taxi au moment où l'on voudrait foncer vers son destin. Je voulais retrouver Nathalie, lui dire comme je l'aimais, lui dire comme je ne supportais plus cette situation, car cette situation n'était plus supportable. Tout cela était ridicule. Je voulais être fou, l'emmener en voyage, tout plaquer, rejouer à être névrosé comme au début de notre histoire. Ma pulsion était sûrement teintée d'égoïsme, car je me sentais incapable d'affronter seul ce que je vivais à la banque. J'avais besoin d'elle, de son soutien, de son regard. Nous étions deux, et je comprenais plus que jamais ce que voulait dire l'expression : « ma moitié ». Une expression dont je m'étais souvent moqué avant. Je ne comprenais pas qu'on puisse s'estimer incomplet sans l'autre, et pourtant c'était ce que je ressentais maintenant. Ce sentiment de ne pas être moi sans elle. Sans ma femme. Nathalie.

La voiture roulait dans la nuit, la ville me paraissait la parure idéale pour mon émotion. Les monuments scintillaient et je sentais mon cœur revivre. J'avais vécu ces dernières semaines sous anesthésie émotionnelle, et voilà que je ressuscitais par des battements de cœur. Le taxi me déposa chez moi. Le chauffeur a dû s'imaginer que c'était un premier rendez-vous ou que je retrouvais une maîtresse : ma précipitation nocturne n'était pas l'allure d'un homme allant retrouver une femme qu'il aime depuis toujours. D'en bas, j'ai regardé notre immeuble, notre étage, notre fenêtre. Je voulais ralentir le rythme. Comme pour savourer chaque seconde. La lumière était allumée dans le salon. Nathalie était là, et elle ne dormait pas encore. J'ai aperçu sa silhouette. Elle devait aller à la cuisine, débarrasser la table de son dîner, ou se faire une tisane. Elle adore les tisanes, mon amour. Mais, à cet instant précis où je fantasmais la soirée sobre de ma femme, j'aperçus une autre silhouette. Un homme. Une silhouette d'homme. Aucun doute. Mes yeux ne pouvaient pas me mentir. Un homme était chez nous. Chez moi. Un homme. Un homme. Je me répétais ce mot, comme si on pouvait chasser le réel de cette manière. J'ai traversé le trottoir, pour me retrouver de l'autre côté de la rue, et ainsi mieux voir ce qui se passait dans le salon. L'intuition du désastre aurait dû me suffire. Mais non, je voulais en avoir le cœur net. Je voulais la certitude du désastre.

Trois minutes plus tard, je l'avais. Ma femme (enfin, cette femme qu'il me semblait ne plus connaître) embrassait un homme qui n'était pas moi (ce n'était pas moi, car moi j'étais en bas de l'immeuble en train de les regarder). Cette image-là, je ne pourrai jamais l'oublier. Elle sera le virus incurable de ma mémoire. J'aurais dû tourner la tête, fuir, ne pas voir. Tout faire pour ne pas me laisser contaminer par ce moment qui m'achevait. Au contraire, je demeurai planté là, abasourdi, ne voulant pas louper une miette de ce spectacle dégueulasse. Et puis les deux artistes de mon drame ont éteint la lumière, et je suis resté avec l'obscurité devant les yeux. Je ne pouvais rien faire. J'étais tétanisé. D'autres seraient montés en courant, auraient cassé la gueule du salopard, auraient crié, brisé, déchiré. Moi, je ne pouvais pas bouger. La tristesse me rendait immobile.

J'ai passé une partie de la nuit debout sur le trottoir. Des voisins m'avaient peut-être vu ; peut-être avait-on pu me prendre pour un voleur. Mais c'était moi qu'on venait de voler : on venait de me voler ma vie. Je n'avais plus rien. Et ce n'était que le début.

10

Alors que je devais surveiller tous mes faits et gestes, je suis arrivé avec presque deux heures de retard ce matin-là à l'agence. Pas rasé, habillé comme la veille, sans avoir mangé ni bu, j'avais de toute évidence l'air d'un homme ayant passé *une nuit blanche*. Un comble étant donné la noirceur des récentes heures. Aussitôt, M. Pinaud s'est précipité vers moi. J'étais en retard pour notre rendez-vous. C'était l'un de mes plus anciens clients ; avec moi, il avait considérablement fait fructifier son capital. Jamais, jusqu'à ce matin, il n'avait eu à se plaindre de mon travail. Il m'accueillit avec une mine très sévère, et annonça brutalement qu'il allait changer de banque. J'avais beau m'excuser, rien n'y faisait. Je ne comprenais vraiment pas la disproportion de sa réaction. Surtout que nos relations avaient toujours été cordiales.

« Écoutez, cela peut arriver à tout le monde. J'ai eu des soucis.

— Ça ne m'intéresse pas. Vous auriez pu au moins me prévenir.

— Je suis vraiment désolé, ça ne se reproduira plus.

— J'ai besoin d'avoir confiance en mon banquier.

— Bon, écoutez, je me suis excusé plusieurs fois. Je ne peux pas faire mieux.

— ...

— ... »

Après un temps où il me dévisagea, il lança :

« Pourquoi êtes-vous repassé au guichet ? Je vous ai vu la dernière fois que je suis passé.

— C'est pour aider... on est solidaires... c'est la crise...

— Ah... fit-il avec une moue incrédule.

— C'est temporaire... Vous voulez qu'on aille dans mon bureau ?

— Euh... non. J'ai demandé à voir le directeur.

— Le directeur ? Mais pourquoi ?

— Pour... rien.

— Vous voulez le voir pour... rien ? Mais ce n'est pas possible... rien. Je me suis excusé.

— Ce n'est pas rassurant, c'est tout.

— Mais on m'a demandé de faire du guichet pour aider. VOUS ALLEZ LE COMPRENDRE À LA FIN ? »

J'avais prononcé les derniers mots plus fort. Tout le monde s'est arrêté pour me regarder. Pinaud m'a fixé un instant, avant de faire demi-tour en silence, et de se diriger vers le bureau du directeur. Que faire ? J'ai essayé de le retenir par son manteau. Il a dérapé, s'est retrouvé par terre. Quand j'ai tenté de le relever, il semblait comme fou. Je n'avais pratiquement rien fait. Un tout petit geste de rien du tout. Un minuscule geste qui avait pris de folles proportions. Pinaud s'est relevé en hurlant :

« ÇA NE VA PAS ?!! Vous êtes complètement dingue ?

— Je... suis désolé.

— Ça suffit d'être désolé. Laissez-moi tranquille ! »

Laperche, alerté par le vacarme, est sorti de son bureau :

« Qu'est-ce qui se passe ici ?

— Rien... rien », ai-je soufflé, mais j'ai bien senti que personne n'allait me croire.

Une heure plus tard, Laperche me signifiait mon licenciement pour faute grave. J'avais agressé un client. Voilà ce qu'il disait. C'était absurde. J'avais simplement eu peur de le perdre. Bien sûr, il y avait eu l'atroce nuit, mais c'était la situation des dernières semaines qui m'avait rendu fou. En l'écoutant, je compris subitement. Depuis le début, il cherchait à me virer. Il m'avait mis au guichet uniquement pour me miner et me pousser à l'erreur. Tout ça n'avait été qu'une machination destinée à produire le moment présent. La crise poussait les employeurs à trouver de véritables stratagèmes pour se débarrasser du personnel à moindre frais, sans avoir à payer d'indemnités. Son plan avait marché. J'allais partir sans rien. D'autant plus que la scène s'était produite devant témoins, sous le regard d'autres clients ignorant tout du contexte, et qui évidemment ne me trouveraient aucune excuse.

On me virait pour un geste de rien du tout. Une égratignure. J'étais si choqué que je n'avais pas envie de me battre. Personne ne me défendait. Personne n'était solidaire. J'étais seul. Quand je croisais un regard, il se détournait. Je n'avais pas le courage de faire mes cartons. Je ne pouvais rien faire. Je ne comprenais pas pourquoi le destin s'acharnait si fort contre moi. J'avais lu ou entendu des histoires de vies qui basculaient comme ça, du jour au lendemain. Elles m'avaient toujours semblé un peu exagérées, comme si tout ne pouvait pas s'effondrer en même temps. Il fallait croire que si. Ne me manquait plus qu'une petite maladie. Avec ma capacité à somatiser, il était probable que cela arrive également.

11

À mon arrivée à l'hôtel, Bénédicte me demanda : « Ça va ? Vous avez passé une bonne journée ? » Que pouvais-je répondre ? Ce que je venais de vivre pouvait-il même être qualifié de « journée » ? J'ai passé plusieurs heures sur mon lit. Puis, j'ai consulté mon téléphone : je n'avais aucun message. C'est à cela que servent les téléphones portables, à se rendre compte que personne ne pense à vous. Avant, on pouvait toujours rêver que quelqu'un cherchait à vous joindre, à vous parler, à vous aimer. Nous vivons maintenant avec cet objet qui matérialise notre solitude. Pire, j'y gardais de nombreuses photos. Je parcourais les temps anciens, ceux du bonheur, avec le sentiment de ne pas me reconnaître. Tout avait changé. Je vivais maintenant dans un hôtel, sans femme, sans travail, sans revenus. Ma situation était tragique.

Les semaines passèrent, et je dus me rendre à l'évidence : je ne pouvais plus payer l'hôtel. Outre le fait que les Assédic ne semblaient pas pressées de régler mon dossier, je ne pouvais pas retirer de l'argent de notre compte épargne sans la signature de Nathalie. Je ne me sentais pas capable de lui demander quoi que ce soit, et encore moins de la mettre au courant de ma situation. Quant à Jean-Michel et Jean-Marc, ils avaient d'autres soucis. Pour être plus précis, j'avais l'impression que mes amis (enfin, pouvais-je encore les considérer comme tels ?) avaient peur d'être contaminés. Ils devaient croire que les emmerdes, ça s'attrape. J'essayais pourtant de minimiser ce qui m'arrivait. J'offrais la version édulcorée. Jean-Marc vivait dans un grand pavillon en banlieue. Il aurait sûrement pu m'héberger, juste quelques jours, le temps que j'y voie plus clair. Mais il enchaîna plusieurs excuses, en une accumulation plus qu'improbable :

« Nous avons le grand-oncle de ma femme en ce moment... et puis, tu sais, elle fait une dépression...

— Ah... je ne savais pas... Une dépression ?

— Oui, enfin elle n'a pas le moral quoi.

— Ah...

— Sans compter que je suis en train de refaire la peinture dans la chambre d'amis... c'est toxique tout ça. Tu sais, j'ai pas envie que tu m'attrapes un cancer en venant ici. Tu as assez de soucis comme ça, mon vieux.

— Merci... c'est gentil...

— De rien... les amis ça sert à ça, tu sais bien.

— ... »

Pour Jean-Michel, la situation était quelque peu différente, même si cela revenait au même. Il m'expliqua qu'il venait de traverser une grande crise conjugale :

« Enfin, tu comprends... c'est fragile entre nous en ce moment... Je ne peux pas me permettre de lui mettre sous le nez ton exemple...

— ...

— Il faut bien l'avouer, ta femme ne t'aime plus. Imagine que ça donne des idées à Martine. On a surmonté nos problèmes, alors je ne veux pas lui rappeler par ta présence à quel point l'échec est possible.

— Ah...

— Tu me comprends ? Hein ?

— Oui... »

Je comprenais surtout que j'avais des amitiés de confort. Des amitiés qui existent quand tout va bien. Peut-être était-ce ma faute ? Je n'avais jamais interrogé la réelle nature de nos rapports. Nous vivions en parallèle, on se voyait de temps à autre, on avait l'impression de passer de bonnes soirées, mais au fond, rien d'important ne se dégageait de notre relation. Et puis, je pouvais me retourner la question : est-ce que je les aurais aidés, moi ? Je ne savais pas. En revanche, j'étais quasiment certain qu'ils auraient fait preuve de davantage de solidarité l'un envers l'autre. Je m'étais toujours un peu senti à l'écart, au sein de ce trio amical. Peut-être à cause du prénom. Bernard. Tout aurait été différent si je m'étais appelé Jean-Bernard.

Peut-être n'avais-je pas assez clairement expliqué ma situation ? C'est si difficile. Qui peut réellement pratiquer l'autopsie de son échec ? Je minimisais, je contournais, je laissais des silences ; mais personne ne savait lire mes silences. On voudrait tant être compris sans avoir à utiliser le moindre mot. Je me sentais suffisamment humilié comme ça. Je n'avais pas envie de quémander. Mes perspectives d'avenir étaient sombres. Comment allais-je retrouver un emploi à mon âge ? J'étais toujours sous le choc. Les chocs. Je pensais sans cesse à Nathalie avec cet autre homme. Qui était-il ? Est-ce que je le connaissais ? Depuis combien de temps le voyait-elle ? Je ne pouvais avoir de réponse pour le moment, car je demeurais dans l'impossibilité de dire à Nathalie ce que je savais. Elle continuait à jouer à la femme qui prend du recul, alors que tout était fini. Elle me quittait à la façon d'une anesthésiste. Elle m'endormait. Elle ne savait pas que j'avais déjà les yeux fermés, que des paupières closes recouvraient notre passé. Ce passé qui n'en finissait plus de finir.

J'envisageais toutes les possibilités pour m'en sortir, mais aucune issue ne semblait atteignable. Je dus admettre que je n'avais plus le choix, il ne me restait plus qu'une seule solution. Une destination qui serait parfaite pour parachever le désastre : mes parents.

DEUXIÈME PARTIE

1

Ma mère a ouvert la porte. En voyant ma valise, immense capacité de déduction, elle a tout de suite compris. Pourtant, elle est restée figée sans rien dire. Au bout d'un moment, j'ai dû demander :

« Maman... est-ce que je peux ?

— ...

— C'est juste pour quelques jours...

— ...

— Le temps de me retourner...

— Tu aurais pu nous prévenir, quand même... » a-t-elle finalement murmuré.

Je débarquais, visiblement mal en point, et elle ne trouvait qu'une chose à faire, se plaindre que je ne me sois pas annoncé. J'avais envie de lui dire : « Le désespoir ne se prévoit pas. » Pourquoi ne me serrait-elle pas dans ses bras ? Pourquoi ne me disait-elle pas : « Mon chéri, tout va s'arranger. »

Je l'ai suivie, tête baissée, dans le couloir. Et ce fut long. Chez mes parents, le salon se trouvait tout au bout du couloir. Un immense couloir comme un tunnel. Ils auraient pu y mettre des étagères, de quoi traverser ces quelques mètres entre les livres, mais non, il n'y avait rien. Une sorte de couloir de la mort. Ma mère marchait devant moi lentement, comme pour faire durer le supplice. Juste avant de pénétrer dans le salon, j'ai posé ma valise dans un coin. Je n'avais pas envie que mon père la voie aussitôt. Je voulais lui laisser le temps de croire un instant à une simple visite à l'improviste. Ce qui était peu probable. Dans notre famille, on n'improvisait pas. Notre partition sinistre était gravée dans un marbre au rabais. Il fallait quasiment préméditer chacun de nos souffles.

En tournant la tête vers moi, il sembla saisir immédiatement la raison de ma présence. Son âge avancé l'avait rendu moins vif ; mais là, il fallait croire que la situation était évidente, pour ne pas dire attendue. Mon déclin ne stupéfiait personne. Mon père était assis sur son canapé, en train de regarder la télévision. J'aurais dû écrire SON canapé, tant il faut éviter de s'asseoir sur ce morceau de tissu élimé sur lequel il a passé la plus grande partie de sa vie. C'était là, son royaume. Il se sentait maître d'un territoire, certes un territoire de textile, d'où il dominait le monde. Enfin, quand je parle du monde, je parle de la télévision. J'ai toujours été émerveillé par l'illusion que pouvait représenter pour lui le simple acte de tenir une télécommande. Il pouvait changer de chaîne selon ses désirs et, assis dans son fauteuil, il devenait un intrépide chasseur d'images. Il représentait cet improbable mythe moderne : l'aventurier casanier. Il ne fallait évidemment jamais déranger le roi pendant ses tête-à-tête de la plus haute importance avec les images. C'était comme une fusion. Mon père n'était pas devant la télévision, il était *dedans*.

Pour la première fois, conscient de la gravité de la situation, il se leva de son fauteuil en plein épisode. Il interrompait la marche majeure du monde pour venir me saluer. Il avança vers moi, glissant sur ses patins, avec sa mine concentrée des grands jours. Il me parut alors plus petit que jamais, et presque touchant à jouer le rôle du patriarche avec son gabarit de petit vieux qui donne à manger aux pigeons. Malheureusement, aucun scénariste n'était en mesure de nous aider pour les dialogues.

Une fois face à moi, il ne sut que dire. Ce qui ne changeait pas. L'essence de nos rapports avait toujours été le silence. Il ne tenta même pas un petit geste de réconfort, une sorte de petite tape sur l'épaule, non, rien, il resta comme ça, gêné.

Au bout d'une éternité de silence, j'ai balbutié quelques mots sur la mauvaise passe que je traversais, en affichant un sourire faussement décontracté. Puis, j'ai bâillé pour écourter le supplice, faisant mine d'être épuisé, alors que je n'avais rien fait depuis plusieurs jours. À l'hôtel, j'étais resté dans ma chambre à tourner en rond. Et parfois même à tourner en carré, histoire de varier le parcours géométrique de ma déprime. Alors non, je n'étais pas fatigué. Mais je ne supportais pas d'être observé, surtout par mes parents. Valise en main, j'ai rejoint ma chambre. Leurs regards fixes me brûlaient la nuque. J'ai ouvert la porte, et me suis engouffré dans l'obscurité. Je n'ai pas allumé la lumière tout de suite. Pourquoi étais-je ici ? Je n'avais pas eu vraiment le choix, d'accord. Mais je pouvais comprendre ceux qui préfèrent errer dans la rue plutôt que de vivre ce que je vivais. Tant que l'on n'est pas jugé par autrui, on peut conserver une part de dignité.

J'ai finalement allumé la lumière. Mes parents n'avaient jamais déménagé. Cette chambre était celle de mon enfance. Lors de mes rares visites, il m'arrivait d'y jeter un œil, juste comme ça. Juste pour avoir accès à mon enfance. C'est toujours étrange d'observer les décors de son passé. Les années avaient filé, sans que je prenne pleinement conscience de cette folie suivante : ma chambre était toujours identique. Mes parents ne l'avaient pas transformée en chambre d'amis, ou en bureau. Ni même en cagibi géant. Non, rien n'avait bougé. Je venais de pénétrer dans le mausolée de mon adolescence.

Pour la première fois ce soir-là, je me rendais compte de cette bizarrerie. Quels parents conservent ainsi la chambre de leur enfant presque trente ans après son départ ? Je savais leur manque d'aptitude au changement mais, à ce point-là, c'était à se demander si leur vie ne coulait pas dans un torrent de cire. J'aurais pu y voir le signe d'une mélancolie parentale, une façon de ne pas toucher à la période bénie où les enfants sont encore près de soi, mais je les connaissais trop bien pour croire en cette option. Je décelais là avant tout la manifestation de leur flemme. Enfin, je ne pouvais pas écarter une autre hypothèse. Ils avaient peut-être simplement pensé qu'un jour ou l'autre je finirais par revenir ici.

Il m'était arrivé de voir des reportages sur des hommes et des femmes dans l'obligation de retourner vivre chez leurs parents. Parfois la vie prend la forme d'une impasse de plus en plus étroite, et nous finissons par être obligés de faire demi-tour. Ma chute était une marche arrière. Une marche arrière vers qui j'étais. Je regardais les posters accrochés aux murs. Tout était là, à peine jauni. Cette grande affiche des Pink Floyd, à l'époque de leur album *The Dark Side of the Moon.* Eh bien voilà j'y étais, du côté sombre. Je n'en revenais pas d'avoir aimé cette musique. Tout me revenait en mémoire. Subitement, j'ai eu envie de l'écouter. J'ai mis un casque, et suis parti vers mon passé sonore. La première chanson, « Money », n'était pas de bon augure. Mais j'ai vite fait abstraction du thème pour me laisser porter par le rythme et le son. Depuis quand n'avais-je pas écouté de musique ? Dans mon corps, quelque chose se produisait. Mes oreilles étaient heureuses. Je les avais délaissées pendant si longtemps. Finalement, en laissant ma chambre intacte, mes parents m'avaient permis de retrouver mon passé. Je touchais à ce jeune homme comme s'il s'agissait d'un inconnu. Puis mon regard fut attiré par une guitare folk. Ma guitare. J'avais quasiment oublié que j'avais joué de la guitare. Mais oui, moi, Bernard, j'avais fait de la musique. Moi, Bernard, j'avais été cool. Je me suis souvenu des heures passées à m'écorcher les doigts pour tenter de jouer « Stairway to Heaven ». J'ai attrapé l'instrument et tenté de retrouver un ou deux accords. Mes doigts cherchaient leurs marques, et il me fallut quelques minutes pour être capable d'enchaîner une suite sonore qui devait ressembler à « Let It Be ». Enfin, la version Bernard de « Let It Be ». J'ai fredonné l'air, jusqu'au moment où un chuchotement m'a dérangé. Il me sembla que mon père disait :

« Il est en train... de jouer de la guitare. Il est devenu complètement dingue. Je ne vois que ça.

— Mais non... il se détend.

— Il se détend ? Tu crois vraiment que venir jouer de la guitare chez ses parents, c'est pour se détendre ? Franchement... Martine... ce qui se passe est grave... Très grave...

— Mais non… écoute. Il a arrêté… Tu entends… ? Il ne fait plus de bruit.

— Il s'est peut-être suicidé ?

— Oh… ! »

J'avais juste arrêté de jouer pour les écouter. Il faut savoir une chose sur cet appartement : les murs sont des passoires. C'était à se demander s'il n'avait pas été construit par un gourou de l'open space. Toute mon enfance, j'avais entendu chaque épisode de l'intimité de mes parents. Certes, leurs ébats amoureux avaient été aussi rares qu'une bonne nouvelle dans ma vie ces derniers jours. En revanche, ils aimaient parler. Et souvent de moi. J'étais un bon sujet de conversation pour eux. Bref, j'ai grandi en entendant tout ce que mes parents pensaient de moi. En général, ce n'était pas très palpitant. Ils échangeaient des banalités qui ne faisaient que confirmer qu'ils ne me connaissaient pas très bien. Toujours angoissés par la vie en général, ils étaient très inquiets quant à mon avenir. Il était pour le moins déstabilisant d'entendre, trente ans après, les mêmes mots me concernant :

« Qu'est-ce qu'il va devenir ? répétait ma mère en boucle.

— Écoute, il est grand. Arrête un peu de t'inquiéter !

— Qu'est-ce qu'on va faire de lui ?...

— Ce n'est pas notre problème. C'est sa vie.

— Oui... enfin ça nous concerne un peu. Surtout s'il vit ici...

— Il t'a dit que c'était provisoire...

— Oui...

— Mais ça veut dire combien de temps "provisoire" ? C'est pas clair... Moi j'aime bien quand c'est clair...

— Ah je m'inquiète... » conclut ma mère dans un souffle.

À cet instant, il devait être aux alentours de minuit, j'ai fini par craquer. Je suis sorti de ma chambre.

« Est-ce que vous pouvez arrêter de vous inquiéter pour moi ? Franchement, votre angoisse commence à me contaminer.

— Mais... tu écoutes aux portes ?! s'offusqua mon père.

— Écouter aux portes ? Tu ne t'es jamais rendu compte qu'ici, c'est comme s'il n'y avait pas de cloisons ?

— Ça ne va pas ! Je t'interdis de critiquer nos cloisons !

— Oui Bernard, ne critique pas les cloisons. Tu veux contrarier ton père, c'est ça ? C'est ça que tu veux, hein ? Tu ne crois pas que c'est déjà assez comme ça ?

— Mais non... non... bon... je vais me coucher. Allez, bonne nuit », dis-je pour abréger la conversation.

Finalement, je n'avais pas le courage de me disputer avec mon père sur l'étanchéité sonore du lieu. Surtout que je savais bien que son appartement lui était au moins aussi cher que son fils. Parfois, quand il parlait du salon, j'avais l'étrange impression d'avoir un frère.

2

Après mon intervention, je n'entendis plus rien. Mes parents devaient se parler par signes. J'ai continué à observer ma chambre pendant un long moment, incapable de trouver le sommeil. Près de moi, un radio-réveil terriblement anxiogène égrenait des chiffres rouges lumineux, et je voyais les minutes défiler sur mon insomnie. Il était déjà trois heures du matin. Je me souvenais si bien de cet objet, qui représentait l'horreur du réveil quand je devais me lever pour aller au lycée. Et voilà qu'il était toujours là, à me narguer, lui aussi. Je l'ai pris entre mes mains pour constater qu'il était *made in China*. Sa longévité m'épatait. Comment était-ce possible ? Quelle puissance. Quelle force tranquille. Il semblait heureux de passer sa vie à clignoter, dans l'autoroute paisible de sa mission. Je me sentais si fragile à cet instant. J'aurais voulu moi aussi être *made in China*.

Je suis finalement parvenu à m'endormir, et même à faire la grasse matinée. Il était déjà midi. Mes parents avaient eu la délicatesse de ne pas faire de bruit. Depuis quand n'avais-je pas dormi si tard ? Des années. Je suis resté dans mon lit un long moment sans savoir si j'étais inquiet à mourir, ou plongé dans une passivité presque douillette. Pour le moment, je n'avais pas envie de réfléchir. J'avais tant de combats à mener, tant de situations face auxquelles je devais réagir, que je pouvais m'octroyer un peu de répit. Et, à dire vrai, cela ne dérangeait personne. On ne m'attendait pas. Mon nom n'était inscrit sur aucun agenda. Le vide m'entourait. Alors je suis finalement resté toute la journée ainsi. Au cours des dernières semaines, j'avais bataillé férocement pour protéger ma position. Tout ça pour aboutir à un résultat minable. Tous mes efforts avaient été vains. Alors à quoi bon lutter ? J'avais voulu faire bonne figure en arrivant chez mes parents ; j'avais voulu leur faire croire que j'étais un guerrier simplement assommé qui cherchait un peu de repos avant de se relancer dans la bataille. Mais je n'avais plus envie de jouer le rôle du guerrier. J'étais trop mal en point pour faire croire que tout irait bien.

Dépassés par la situation, mes parents campaient devant ma porte.

« J'ai pensé à ce que tu as dit... la dernière fois, chuchota ma mère.

— Quoi ?

— Et s'il commet l'irréparable ?

— Irréparable ? Tu veux dire... comme notre ancienne télévision ? » coupa mon père pour tenter un peu d'humour.

Mais ma mère semblait estimer que ce n'était vraiment pas le moment de rire. Elle paraissait inquiète, et il y avait de quoi. Si mes parents étaient parfois déconnectés de la réalité, cette fois je pouvais comprendre leur désarroi. Après tout, je ne savais plus que faire de ma vie. Ma femme aimait un autre homme, je venais de perdre mon travail, j'avais été humilié et maltraité, le taux de chômage ne cessait d'augmenter, et encore plus dans ma tranche d'âge, ma fille vivait au Brésil, et peut-être même qu'elle épouserait un guitariste de bossa nova qui l'emmènerait loin, très loin, si loin de moi, et cela ne m'étonnerait pas, car tout le monde fuyait, je voyais bien ce qui se tramait autour de moi, j'étais lucide, j'étais parfaitement lucide, un pestiféré, le gentil Bernard, le serviable

Bernard, le docile Bernard, tout le monde s'en foutait de Bernard maintenant, et j'allais mourir et personne n'en aurait rien à faire, car c'est ce qui me guettait, franchement pas besoin d'attendre la suite de l'histoire pour découvrir que j'allais être atteint d'une maladie incurable, ça allait faire comme une douleur, je pouvais la sentir déjà, elle s'annonçait, oppressant ma poitrine. Ça sent la fin, et avec ma veine, ça ne va pas finir d'un coup sec et violent, je suis du genre à agoniser, moi, à souffrir péniblement, à me décomposer dans d'atroces souffrances, vraiment je ne vois que ça, je me demande même comment j'ai pu croire au bonheur parfois. Mais quelle prétention ! Moi ?! Voyons ! Mon destin m'attendait bien sagement ici, mon destin d'homme misérable... Et tout est parfaitement logique, je me retrouve à cinquante ans là où j'étais à vingt ans...

C'est à peu près à cet instant-là de mon monologue dramatique que ma mère frappa à la porte, et osa ouvrir. Elle demeura un instant face à moi, figée comme un point d'exclamation. Une exclamation silencieuse. Elle portait un plateau-repas où je pus distinguer une boisson chaude et deux tartines beurrées.

« Écoute, Bernard, tu devrais sortir un peu quand même. Il va bientôt faire nuit. Tu n'as même pas vu le jour.

— C'est gentil. Mais je ne veux pas le voir.

— Tu ne peux pas te laisser aller comme ça... Je t'ai préparé un chocolat chaud...

— Un chocolat chaud ?

— Ben oui... tu adores ça, non ?

— ... »

Elle a posé le plateau sur un coin du lit. Je n'avais pas bu de chocolat chaud depuis... depuis si longtemps. Il me semble que j'en avais oublié l'existence. Ma mère me regardait, mi-inquiète, mi-réconfortante, une main sur le bord du lit. Elle ne faisait vraiment pas son âge. Elle avait arrêté de vieillir vers soixante ans, comme si elle avait pu mettre son âge sur pause. Il faut dire aussi qu'elle était coquette, ne se laissant jamais aller, même les jours où elle ne sortait pas de la maison. Ma mère me regardait sans rien dire, mais d'une manière bienveillante. J'étais heureux qu'elle me témoigne enfin un peu de douceur. J'aurais voulu lui rendre son affection, dire quelque chose de gentil, mais je ne pouvais pas. J'avais été élevé dans la sécheresse de nos rapports, et je ne pouvais pas subitement trouver ces mots d'affection que j'avais enfouis tout au fond de moi. Au bout d'un moment, j'ai tenté :

« C'est gentil maman... mais je ne bois plus de chocolat depuis longtemps.

— Ah bon ?

— Oui, enfin... merci. C'est parfait. Je vais le boire.

— Tant mieux. Je t'ai mis du lait entier dedans. Tu as besoin de forces.

— Ah... merci... du lait entier, c'est... parfait... »

J'ai observé cette boisson, vestige d'un autre temps. Elle me parut presque amicale. En buvant une gorgée, je fus surpris d'aimer ça. Je regrettais presque toutes ces années passées mécaniquement dans le café. Le visage de ma mère s'assombrit alors subitement (elle avait dû faire un effort de décontraction jusqu'à cet instant).

« Maman... ça va aller... c'est juste un moment difficile...

— Comment veux-tu que je ne m'inquiète pas ? Tu as vu ta tête ?

— Quoi ma tête ?

— Tu ne te rases même plus ! »

J'ai passé ma main sur mon visage pour constater l'effective présence de poils. Un coup d'œil au petit miroir posé sur le bureau me contraignit à admettre que mon apparence n'était pas des plus rassurantes. J'avais la tête d'un homme enfermé à tout jamais dans le mois de février. Ma mère reprit la liste de ses inquiétudes :

« Et ta femme ? Pourquoi n'es-tu pas avec elle ?

— Euh... c'est compliqué...

— Qu'est-ce qui est compliqué ? Tu peux tout dire à ta mère. Tu ne l'aimes plus, c'est ça ?

— Non... ce n'est pas ça.

— Alors quoi ? C'est elle qui est partie ?

— En quelque sorte... oui.

— Écoute Bernard. Il va falloir que tu sois plus clair ! Je veux bien t'écouter, t'aider, mais il faut vraiment te tirer les mots de la bouche.

— Il n'y a pas de mots. Ça arrive parfois... qu'il n'y ait rien à dire... C'est comme ça...

— Non, ce n'est jamais comme ça. Que s'est-il passé ?

— Je ne sais pas trop, c'est sûrement ça le problème. J'avais l'impression qu'on prenait du recul… qu'on respirait un peu l'un de l'autre… C'était temporaire…

— Et ?

— Et… je me suis rendu compte… que…

— Que quoi ?

— …

— Qu'il y avait quelqu'un d'autre, c'est ça ?

— Comment le sais-tu ?!

— Voyons Bernard. Tu crois vraiment que ta vie est originale ? Franchement, c'est tellement… classique, tout ça…

— … »

Elle a marqué une pause. On aurait dit que son visage changeait d'expression, comme s'il allait chercher de lointains souvenirs pour revenir chargé des intentions du passé. Cela faisait si longtemps que je ne l'avais pas vue sous ce jour ; étrangement, elle ressemblait davantage à une femme qu'à une mère. Il arrive parfois que l'on se perde dans sa propre ville, dans sa rue même. C'est ce sentiment que j'éprouvais maintenant avec ma mère. Dans mon esprit, mes parents s'étaient transformés en personnages grossiers, pour ne pas dire caricaturaux, et je devais admettre que la réalité était plus complexe.

« Je vais te dire une chose que personne ne sait.

— ...

— Moi aussi, j'ai eu un amant.

— Toi maman ?! Un amant ?

— Oui. Ton père n'était jamais là. Je souffrais, j'avais besoin d'affection. Alors j'ai laissé Maurice entrer dans ma vie...

— Maurice ? Notre ancien voisin ?

— C'est ça.

— Mais tu étais très amie avec sa femme !

— Et alors ? L'attirance physique ne s'encombre pas de la morale. C'est comme ça.

— Maman... tu es sûre ?... Je n'ai pas vraiment envie de savoir... surtout en ce moment...

— Si ! Tu dois tout savoir. J'ai besoin de te raconter. Si tu savais... Maurice était un amant... si attentionné. Incroyable. Quelle fougue !

— Maman !

— Enfin... bref... j'aimais ton père. J'ai toujours aimé ton père. Même si c'est un abruti borné et caractériel, tout ce que tu veux, je l'aime. Alors ta femme, je la comprends. Elle a besoin d'être désirée, aimée, séduite. C'est tellement classique.

— ...

— Qu'est-ce que tu as fait quand tu as appris qu'elle te trompait ? Hein ? Qu'est-ce que tu as fait ?

— …

— Hein ? Tu as fait quoi ?

— Rien…

— Voilà, tu n'as rien fait. Car au fond de toi… tu l'as comprise. Tu as admis qu'un autre pouvait lui donner ce que tu ne donnes plus…

— …

— Si tu veux sauver ton couple, tu dois comprendre des choses. Une femme a besoin d'amour.

— … »

Était-ce bien ma mère qui parlait ? Étais-je vraiment réveillé ? J'ai hésité un instant à me pincer, pour vérifier la réalité du moment. Elle semblait s'être injecté un sérum de lucidité. Elle continua :

« Réfléchis. Tu lui donnais assez d'amour ? Tu lui disais tous les jours qu'elle était belle ?

— Euh… non…

— Tu lui faisais des surprises ?

— Euh non…

— Tu l'emmenais au restaurant ?

— Oui.

— Mais je suis sûre que tu lui demandais de choisir.

— Euh... Oui.

— Eh bien, ça c'est une erreur. Quand tu emmènes une femme au restaurant, tu ne lui demandes jamais où elle veut aller. Tu lui dis que tu as repéré un endroit formidable, et tu l'emmènes, c'est tout.

— Ah...

— C'est ce que faisait toujours Maurice. Il était si imprévisible.

— Mais il était tout petit. Et il avait l'air d'avoir peur de son ombre.

— Il cachait bien son jeu Maurice. Et je peux te dire que tout n'était pas petit chez lui...

— Maman !

— C'était complètement fou. Ça allait très loin avec Maurice... ah Maurice...

— ... »

Le problème des patins, c'est qu'on n'entend pas les gens marcher. Mon père était rentré à la maison, et voilà qu'il était debout dans l'embrasure de la porte de la chambre.

« Pourquoi tu parles de Maurice ? Notre ancien voisin ? »

Ma mère se retourna alors, toute gênée :

« C'est... pour... remonter le moral de Bernard... Je lui parle des bons souvenirs de son enfance.

— Et alors ?

— Et alors... tu ne te souviens pas, mais Maurice lui faisait plein de cadeaux...

— Ah... oui, c'est vrai. Il était gâté, ce Bernard. Pourri gâté. Et regarde ce que ça donne.

— Merci papa.

— Oh ça va, c'est pour rire. J'essaye de détendre un peu l'atmosphère, c'est tout. Qu'est-ce que tu peux être rabat-joie !

— ...

— Bon, tu viens ? » dit-il alors à ma mère.

Elle se leva pour le rejoindre. Sans elle, il était perdu. Dès qu'il rentrait, il avait besoin de l'avoir près de lui. Mes parents étaient une sorte d'entité fusionnelle, ils ne se séparaient jamais. Avant de quitter la chambre, ma mère marmonna qu'on m'attendait pour dîner à 20 heures précises[7], et me lança un sourire que je n'arrive pas à qualifier. Je laisse chacun imaginer l'adjectif qui à la fois évoquerait la gêne et la malice, la subite pudeur et l'effronterie, le vieil âge et l'audace, la déraison et la froideur.

7. Il faut savoir que tout retard est passible de peine de mort.

Ces révélations m'achevaient. Et mon père qui, en faisant ainsi irruption, avait failli découvrir à son âge un passé de cocu. Il ne m'aurait plus manqué que ça. Provoquer une crise conjugale entre mes parents. Au bout d'un moment, j'admis qu'il y avait une part de vérité dans les conseils que ma mère m'avait donnés. Je n'avais pas été assez proche de Nathalie. Je méritais peut-être son désamour. Elle prenait l'affection où elle la trouvait. Je pouvais croire que cette crise serait passagère, et qu'elle reviendrait vers moi. Car je l'aimais comme personne ne l'aimerait jamais. Je tentais de me rassurer comme je pouvais. Je bus alors une gorgée de mon chocolat chaud. Mais mon chocolat chaud était devenu froid.

3

Je retrouvais ma capacité d'adolescent à passer des journées sans rien faire. La vie de bureau impose une visibilité précise de la semaine. Quand on travaille, on sait parfaitement que le lundi est un lundi. Et il en va de même pour chaque jour. Chez mes parents, sans emploi, je perdais pied dans la raison chronologique. Le mardi prenait si facilement l'allure du jeudi. Et le vendredi, habituellement savoureux, ne possédait à présent plus le moindre goût. Les heures devenaient incolores. Je me laissais dériver, incapable de réagir. Peut-être qu'il en est toujours ainsi ? Peut-être faut-il passer par une période de pure léthargie ? C'est comme une acceptation de la situation qui passe par l'absence d'être soi. Je ne pouvais pas dire que je me sentais dépressif, non. D'ailleurs, il m'arrivait d'éprouver comme des ravissements au milieu de ma souffrance. Cette sensation me paraissait si étrange. J'étais là, dans mon lit, et mon malheur était une couverture chaude, presque agréable. Se maintenir dans le bonheur est épuisant, alors qu'il n'y a finalement aucun effort à fournir dans la chute. Mais ça ne pouvait pas durer, je devais affronter ma vie.

J'ai envoyé quelques mails à des amis banquiers (disons plutôt des connaissances professionnelles) avec mon CV en fichier joint. Cela avait été la partie la plus complexe du courrier. Je ne savais plus comment rédiger ce résumé de mon expérience. Je n'avais jamais pensé me retrouver à nouveau dans cette position où il faut savoir que dire de soi. J'avais passé tant d'années sans avoir à faire l'exégèse de mes compétences. Et d'ailleurs, quelles étaient-elles réellement ? Je n'étais plus sûr de le savoir. J'étais au tout début de ma démarche, et je doutais déjà. Comment parviendrais-je à paraître assuré si je devais passer des entretiens ? Jouer mon avenir en dix minutes ? Comment faire pour être souriant et combatif quand on est en morceaux et rongé par l'incertitude ? Je ne devais pas y penser, et procéder par étapes. Une fois les mails envoyés, je n'attendais pas forcément de réponses dans l'immédiat. Mais de la part de certains destinataires, j'aurais au moins aimé recevoir un mot attentionné, et pourquoi pas un peu de compassion. Mais je ne reçus rien. Mes messages étaient des bouteilles à la mer : à mon appel répondait le silence.

Je devais aussi réagir vis-à-vis de Nathalie. Elle m'avait laissé plusieurs messages auxquels je n'avais pas répondu. Pour la première fois, l'échange entre nous était rompu. Elle me manquait follement, mais je ne pouvais faire autrement. Je ne me sentais toujours pas le courage de lui avouer que j'avais perdu mon emploi, et encore moins de lui dire ce que j'avais vu. Je repensais sans cesse au soir terrible. Les images me hantaient, y compris dans les moments où je tentais de me réfugier dans le sommeil. Je me suis souvent posé la question : comment un autre homme aurait-il réagi à ma place ? Serait-il monté dans l'appartement ? Aurait-il alors tout cassé ? Aurait-il pris un avocat, pleuré, couru ? J'avais choisi le silence, l'inaction. Enfin, non, cela n'avait pas été un choix, mais une décision de mon corps. Je ne pouvais plus lui parler, c'était physique. Après ces jours de repli, quelque chose changeait. Je sentais le besoin de la revoir. Et puis, il y avait aussi eu les mots de ma mère. Elle avait raison. Je devais admettre ma part de responsabilité. Et peut-être qu'il n'était pas trop tard. Nous nous aimions, je ne pouvais pas croire qu'il en fût autrement. Elle se sentait mal, elle avait voulu une séparation, puis éprouvé du désir pour quelqu'un d'autre, très bien, je pouvais l'accepter, mais voilà, il était temps de nous retrouver. Le passé est une force éternelle. On ne peut pas arrêter ainsi ce qu'on a vécu pendant trente ans. Ce que nous avons toujours vécu, allais-je dire, tant je ne me souvenais plus vraiment avoir eu une vie avant Nathalie.

Le jeudi, je savais qu'elle finissait à 12 h 45, et prenait une pause pour le déjeuner. Je l'ai attendue en bas de l'immeuble où se trouvait son cabinet de consultation. Mon cœur battait n'importe comment (un pays impossible à gouverner). Dès qu'elle sortit, elle me vit :

« Bernard... mais, tu étais où ?

— J'étais à... Poitiers.

— À Poitiers ?

— Oui... Poitiers... pour un séminaire... de banquiers... à propos des crédits...

— ... »

Nathalie me regarda, incrédule. Pourtant, Poitiers ça sonnait bien. C'était la première ville qui m'était venue (certes, je n'étais pas très doué pour l'improvisation). C'était un lieu qui me paraissait crédible pour organiser des séminaires de banquiers. J'aurais aussi pu choisir Dijon, mais c'est comme ça, j'avais opté pour Poitiers.

« Tu aurais pu répondre à mes appels. Je me suis inquiétée...

— ...

— Et là ? Tu débarques comme ça...

— Je voulais te proposer d'aller au restaurant.

— Maintenant ?

— Oui, maintenant. Je connais un très bon restaurant. Enfin je l'ai repéré, et j'ai pensé qu'il te plairait...

— Tu... as repéré... un restaurant ?

— ... »

Vu l'expression sur le visage de Nathalie, je devais admettre que ma mère avait eu raison. Les derniers mois, et sûrement les dernières années, ma femme avait vécu avec un monstre de prévisibilité : moi. Après quelques secondes d'hésitation, elle accepta. Évidemment, je n'avais rien repéré. Je suivais le conseil de ma mère. Il faut les surprendre les femmes, leur prouver que nous passons notre temps à chercher des endroits où elles pourraient être heureuses. J'ai annoncé qu'on pouvait aller à pied au restaurant, et nous avons commencé à marcher. Je préférais qu'elle soit à mes côtés ; après une si longue séparation, et tout ce qui nous avait éloignés, je me sentais fébrile à l'idée de me retrouver face à elle.

Elle parlait, mais je n'écoutais pas vraiment. Je me concentrais sur ce restaurant que je devais trouver ; et sur ce que nous allions nous dire. Après des années de légèreté[8], j'avais l'impression d'être avec ma femme comme à un premier rendez-vous. Les mots hésitaient avant de sortir de ma bouche, comme s'ils passaient un comité de sélection avant de pouvoir devenir des paroles prononcées.

« C'est encore loin ? demanda Nathalie.
— Euh... non...
— Ah... parce que tu sais... j'ai un patient à 14 heures...

8. Peut-être trop d'ailleurs... Vient un moment où la légèreté se transforme en décontraction ; puis cette décontraction progresse minutieusement vers le désintérêt pour l'autre.

— Oui je sais… pas de problème… On arrive…

— Bernard, tu es sûr que ça va ?

— Moi ? Tu me demandes à moi si ça va ? Mais bien sûr ! Pourquoi ? Moi ? Bien sûr que ça va.

— Ah d'accord… Je te demandais ça, comme ça… car je n'avais pas de nouvelles… Et puis… tu viens sans prévenir… Ce n'est pas ton genre…

— Ce n'est pas mon genre… Eh bien disons que j'ai changé de genre…

— … »

Je ne m'étais jamais rendu compte à quel point tout le monde avait une image préconçue de moi. Alors que je me sentais souvent flottant, incapable de savoir ce que je ressentais réellement, les autres n'avaient aucun mal à me ranger dans une catégorie.

« On arrive ? reprit Nathalie, cette fois-ci légèrement agacée.

— …

— On aurait pu prendre un taxi si c'était si loin.

— Non… voilà, c'est là », dis-je en repérant heureusement une enseigne clignotante.

Quelques pas de plus et nous étions devant un restaurant indien. L'homme qui nous accueillit, sûrement le patron, sembla surpris que deux clients puissent entrer dans son établissement. Il faut dire que l'endroit était vide.

« C'est... c'est pour déjeuner ? finit-il par demander, dans un élan de perspicacité.

— Bien sûr », répondis-je avec assurance.

Il nous proposa de choisir la table que nous voulions, nous donna la carte, et fila en cuisine. L'expression de Nathalie demeurait insaisissable. Je n'arrivais pas à savoir si elle était inquiète, intriguée ou consternée.

« C'est ici que tu voulais à tout prix m'emmener ?

— Oui.

— Et pourquoi ?

— Pourquoi ? C'est évident. Parce que... parce que tu adores l'encens.

— Ah bon ?

— Oui... tu ne te souviens pas ? Tu as brûlé de l'encens dans la chambre.

— Mais... c'était il y a au moins dix ans.

— Eh bien, je m'en souviens.

— Et tu en as déduit que j'aimais la cuisine indienne ?

— Bon, écoute Nathalie, j'ai voulu te faire une surprise. Tu aimes, tant mieux. Tu n'aimes pas, tant pis. On ne va pas ergoter pendant deux heures », dis-je d'un ton ferme qui me surprit moi-même.

Je n'en pouvais plus d'être soumis ainsi aux interrogations. Je ne voulais plus me justifier. Je devais arrêter de me sentir coupable de tout.

« Mais ça me va très bien. Je voulais savoir, c'est tout.

— Eh bien voilà, tu sais. »

Le patron est revenu à ce moment-là. Avant même qu'il nous demande ce que nous voulions, je lui ai demandé de nous servir une petite sélection. Peu m'importait, je n'avais pas faim. Nous n'étions pas là pour déjeuner.

Nous étions là pour parler. Mais je ne savais pas par où commencer. Que dire ? Si seulement il y avait moins de mots disponibles, cela simplifierait la tâche pour faire des phrases. Finalement, c'est Nathalie qui se lança :

« Bernard... pourquoi tu ne m'as rien dit ?

— À propos de quoi ?

— De ton travail. J'ai appelé pour te joindre. Et on m'a dit que tu ne travaillais plus à la banque. On m'a dit... que tu avais agressé un client.

— C'est faux.

— Mais pourquoi tu ne m'as rien dit ?

— Et toi ?

— Quoi ? Moi ?

— Pourquoi tu ne m'as rien dit ?

— À propos de quoi ?

— À propos de l'homme que tu embrassais chez nous.

— Mais... mais... Comment... Je...

— Un soir, je suis passé te voir. Je voulais te faire une surprise. Et finalement... c'est moi qui l'ai eue cette surprise...

— Bernard... Bernard... je suis désolée... Je voulais t'en parler... je ne savais pas comment... et quand... Je suis désolée... j'aurais tellement voulu que tu l'apprennes autrement...

— Depuis combien de temps ça dure ?

— Depuis rien. Deux semaines. Un mois peut-être. Je ne sais pas.

— C'est pour ça que tu voulais qu'on prenne du recul. Je comprends maintenant. Tu as bien organisé ton petit plaisir. Tu m'as viré pour laisser la place à l'autre.

— Mais pas du tout ! J'étais si mal. Et puis... j'ai cinquante ans. J'ai peur. Tu ne me touchais plus, Bernard. Plus rien. Plus de désir. Alors, ça m'a fait du bien. Un bien fou. Tu ne peux pas savoir. Je ne pensais pas. Je pensais avoir juste besoin de tendresse, de douceur. Juste besoin d'un peu de délicatesse. Mais non Bernard, ce n'est pas ça. J'avais besoin qu'on me fasse l'amour. Tu entends ? QU'ON ME FASSE L'AMOUR !

— ... »

À ce moment précis, le patron est revenu avec les plats. Il les a posés sur la table du bout des doigts. Il a hésité légèrement avant de préciser : « Faites attention... c'est un peu... épicé... » Puis il est reparti sans faire de bruit, tel un Gandhi de la restauration.

Nathalie et moi n'avons pas regardé les plats. Nous sommes restés un long moment à nous fixer en silence. Tout semblait alors possible. Son cri, qui était une forme de libération, pouvait être le signal d'un nouveau départ. Son histoire, je me sentais capable de la comprendre, et même de l'accepter. Ensemble, on pourrait reconstruire quelque chose. Oui, c'était vraiment ce que je me disais. Mais Nathalie continuait à me regarder, droit dans les yeux, comme si elle voulait emporter dans l'avenir le souvenir de mon visage. C'était intense, pour ne pas dire un peu fou. Je ne la reconnaissais pas. Elle n'était plus Nathalie. Elle souffla subitement :

« C'est fini...

— ...

— Je ne t'aime plus Bernard. J'ai besoin d'avancer, et je sais que c'est sans toi. »

Je suis resté sans réaction. D'emblée, j'ai estimé qu'il serait inutile de se battre ou d'argumenter. Je ne me montrais pas défaitiste, non, ce n'était pas ça, mais elle avait parlé d'une voix si assurée que je sentais la stérilité totale de faire appel de sa décision. M'acharner n'aurait fait qu'aggraver la dimension pathétique du moment. Pourtant, j'aurais pu au moins exprimer la douleur qui s'emparait de moi. Mon attitude, qui dut lui paraître forte ou digne, fit qu'elle enchaîna avec la logistique de notre fin :

« Je voulais savoir si je pouvais garder l'appartement.

— Oui, tu peux. Tu peux garder tout ce que tu veux.

— Et toi ? Tu vas aller où ?

— ...

— Comment vas-tu faire sans travail ?

— Ne t'inquiète pas pour moi. Je vais retrouver du boulot. J'ai déjà plein de propositions.

— Mais si ça ne va pas, tu me le diras, hein ?

— Oui.

— C'est promis ? Tu ne te laisses pas aller ?

— Non, bien sûr que non. Jamais. Tu me connais... Je vais rebondir...

— J'espère Bernard... j'espère...

— ... »

Elle se mit alors à pleurer. Quelques larmes pour enterrer notre histoire.

Le patron réapparut, et se sentit responsable. Elle n'avait pas touché à son assiette. « Je suis vraiment désolé... » dit-il ajoutant qu'il ne nous ferait pas payer. Il évoqua un problème avec son cuisinier, et enchaîna quelques mots d'excuse comme quoi il était de plus en plus difficile de trouver du bon personnel. Il quitta la salle, dépité. Sans le vouloir, il venait de nous sauver. Il venait de nous permettre d'échapper à la tragédie de la dernière scène. Nous sommes partis dans un long fou rire. On pleurait, on riait. On s'aimait, on se quittait. La vie était tragique et pleine de promesses. Mais je savais que mon avenir sans Nathalie serait terrible.

Une fois dehors, nous avons parlé d'Alice.

« Tu as reçu ses messages ? demanda Nathalie.

— Non. Je n'ai pas trop regardé ma boîte mail.

— Elle revient.

— Ah bon ?

— Oui. Elle sera là d'ici la fin du mois. Elle n'est pas heureuse là-bas. Elle dit que ses amis lui manquent. Qu'on lui manque aussi.

— Ah...

— Tu n'es pas content ? Tu disais toujours que c'était affreux son départ.

— Oui… oui… je suis heureux de la voir… et qu'elle n'ait pas rencontré de guitariste là-bas.

— Un guitariste ? Mais pourquoi ?

— Pour rien.

— …

— Pour rien… »

Nous sommes restés un moment sans rien dire devant le restaurant. Nathalie finit par annoncer qu'elle devait retourner au travail. Elle demanda plusieurs fois : « Ça va aller ? » et je répondais par un signe de la tête. Je l'aimais trop pour lui dire la vérité ; lui dire à quel point je souffrais de sa décision. Aimer vraiment quelqu'un, c'est peut-être ça aussi : lui faire croire qu'on peut surmonter son départ. Nous nous sommes serrés dans les bras l'un de l'autre, et elle est partie. Je l'ai regardée marcher loin de moi avec le sentiment que ma vie me quittait.

4

Quelques heures d'errance plus tard, je suis arrivé chez mes parents. Je préférais mourir plutôt que de devoir leur parler. J'ai traversé le salon où ils étaient sagement disposés face à la télévision. Foncer dans ma chambre comportait néanmoins un risque. Ils allaient se poster derrière la porte, et m'interroger sur mon attitude. Pour avoir la paix, je devais mettre des mots sur mon silence. Je me suis donc expliqué :

« Pardon de vous interrompre : c'est juste pour vous dire que je n'ai pas faim. Je ne vais pas dîner avec vous.

— Ah bon ? C'est vraiment dommage car j'ai préparé ton plat préféré. Des lasagnes. Tu es sûr que tu n'as pas faim ?

— Oui, merci maman. Je suis sûr.

— Je n'ai pas mis de béchamel comme tu aimes.

— C'est gentil. J'en mangerai demain.

— Ah... »

Mon père resta muet, interloqué. Que je sois revenu chez eux, dans un état dépressif, après avoir perdu mon emploi, il pouvait le comprendre ; et même l'admettre ; mais que je saute un repas, c'était au-delà de tout. Il faut savoir que les repas sont la chose la plus importante au monde pour lui ; il est probable que le jour où il sautera un repas, c'est qu'il sera mort.

J'aurais pu en rester là, mais il valait mieux tout annoncer d'un coup :

« Je voulais aussi vous dire que Nathalie veut divorcer.

— ...

— Je ne vous demande qu'une seule chose : si jamais elle appelle ici, pour prendre de vos nouvelles ou je ne sais quoi, surtout, ne lui dites pas que je vis ici. Et c'est pareil pour Alice...

— ...

— D'accord ?

— ...

— D'accord ?

— Oui... c'est d'accord, prononça ma mère.

— ... D'accord, papa ?

— Oui… oui, d'accord, fit également mon père.

— Merci. Je vais me coucher. Bonne nuit… » dis-je pour conclure alors qu'il n'était même pas vingt heures.

J'ai quitté le salon pour rejoindre ma chambre. J'avais besoin de mettre un mur entre cette journée et moi. Je me suis allongé sur mon lit simple (une seule place) pour me laisser envahir par des images de ma vie avec Nathalie. Avec une surprenante précision, je pouvais retrouver les premiers jours d'Alice. Nous vivions dans un petit deux-pièces, et le berceau de notre fille était toujours tout près de nous. J'avais l'impression qu'il me suffisait de tendre le bras pour toucher ce souvenir. Tout était encore là, si proche, tragiquement proche. La souffrance, c'est ne pas oublier ce qui nous a rendus heureux. On passait des nuits à écouter le souffle de notre enfant, ébahis d'avoir donné la vie, ébahis de se dire que notre amour avait abouti à la création d'un être humain. On adorait l'expression qui qualifie un enfant de *fruit de l'amour*. Une nuit entière, nous avions essayé de choisir quel fruit était Alice. Était-elle une pomme ou une poire ? Ou plutôt une cerise ? Je fus à nouveau hanté par tous les fruits que nous avions jadis évoqués : pêche, banane, ananas, framboise, fruit de la passion, mangue, myrtille, prune, mirabelle, kiwi, fraise... Ils volaient au-dessus du lit, comme les moutons que l'on compte pour s'endormir (il me semble avoir sombré dans le sommeil au moment de l'abricot).

Le lendemain matin, et les jours suivants, j'ai continué à voyager en moi-même. Je me laissais aller, et ma dérive semblait dotée d'une immense endurance. Pourtant, un matin, je fus étonné de m'éveiller plein d'énergie. Peut-être était-ce ce qu'on appelle *l'énergie du désespoir*. Je ne sais pas. En tout cas, je me sentais léger à nouveau, comme libéré de l'étau qui compressait mon corps. Les douleurs s'échappent au bout d'un moment, épuisées elles-mêmes de nous faire souffrir. Ce que je ressentais était particulièrement étrange : j'avais l'impression qu'il ne pouvait plus rien m'arriver de grave. Et même : j'allais renaître du désastre.

Comme si cet état d'esprit positif avait été payant, je reçus un message d'un ancien collègue de la BNP : Berthier. Si on ne pouvait pas à proprement parler d'amitié entre nous, les liens que nous avions tissés par le passé s'apparentaient à une franche estime. Il nous était souvent arrivé de prendre un verre ensemble, le soir, après nos longues journées à la banque. Et, deux ou trois fois, nous avions carrément dîné avec nos épouses respectives qui, pour parfaire notre lien, avaient eu l'idée de s'appeler toutes les deux Nathalie (quel point commun, tout de même). Son départ pour la Société Générale avait provoqué une distanciation dans nos rapports. C'est souvent plus difficile d'avoir des choses à se dire quand on ne travaille plus ensemble. On s'envoyait des mails de temps à autre. Enfin, c'est surtout lui qui aimait adresser à tout son carnet d'adresses des vidéos qu'il devait trouver drôles ou des blagues salaces. Je faisais partie de ses destinataires privilégiés, ce qui maintenait un lien entre nous, malgré des rencontres devenues rares. Ainsi, quand j'avais réfléchi aux personnes qui étaient susceptibles de m'aider à retrouver du travail, le nom de Berthier avait paru évident. Il me proposait de passer le voir à son bureau pour discuter de ma situation. J'appréciais son attention. Il était sans doute vrai que les moments difficiles permettaient de discerner ses véritables amis.

Je sortis de ma chambre pour aller boire un café dans la cuisine. J'y retrouvai ma mère, qui leva aussitôt les yeux vers moi, sans parvenir à cacher une expression à mi-chemin entre l'inquiétude et la surprise. Pour la première fois depuis des jours, elle me découvrait lavé, rasé, et habillé ; il y avait forcément quelque chose de grave.

« Ça... va ? demanda-t-elle doucement, comme si elle avait aussi des patins sous ses paroles.

— Oui, maman... ça va. Ça va aller.

— Ah...

— J'ai un rendez-vous aujourd'hui.

— Ah... un rendez-vous. C'est bien... ça. Avec qui ?

— Un ancien collègue. Enfin, un ami on peut dire. Il dirige son agence maintenant. Il veut me voir... sûrement pour me proposer quelque chose.

— J'espère. J'espère... mon fils...

— ... »

Elle avait prononcé ces mots d'une manière si douce, et si inattendue. Elle n'avait pas employé cette expression, « mon fils », depuis novembre 1989 ; je m'en souviens très bien car le mur de Berlin venait tout juste de tomber. Mais, comme chaque fois qu'elle dérapait dans la douceur, sa nature de psychopathe pragmatique reprit aussitôt le dessus. Elle demanda alors :

« Puisque tu sors aujourd'hui, tu pourras me rapporter une botte de poireaux ?

— Euh oui... maman. Je m'occupe des poireaux.

— J'ai oublié de demander à ton père. Et si jamais je lui demande de ressortir quand il reviendra, ça va le mettre dans un état... Alors si tu peux t'occuper des poireaux ça serait bien.

— C'est d'accord.

— Surtout, tu les prends avec la queue très blanche. C'est bien meilleur avec la queue blanche, hein ?

— Très bien maman. Avec la queue blanche.

— Tu ne veux pas que je te le note sur un bout de papier ? Tu ne vas pas oublier ?

— Non ça va, je pense que je vais m'en souvenir. Si c'est juste des poireaux, ça devrait aller.

— Tu es sûr ?

— Oui.

— Parce que ton père, lui, aime bien que je lui note tout. »

Pour la rassurer, et écourter la conversation, j'ai accepté le petit bout de papier.

5

Une heure plus tard, j'étais dans le hall de l'agence de Berthier. Mon cœur battait comme à un premier rendez-vous. J'avais prévu quelques phrases pour raconter mes dernières péripéties d'un air décontracté. C'était l'essentiel. Je ne voulais surtout pas qu'il puisse imaginer la réalité lugubre de ma condition. Je lui étais vraiment reconnaissant de me recevoir. Après mon licenciement, peu de gens m'avaient soutenu. Était-ce ma faute ? N'étais-je pas assez aimé ou populaire ? Plus probablement, la vie professionnelle n'aimait pas les perdants. Ceux qui trébuchent pendant leur parcours sont vite broyés par l'oubli. Je pouvais compter mes soutiens sur les doigts d'une main, et même : sur le doigt d'un doigt. Car finalement, Berthier avait été le seul à m'avoir répondu. J'y repensais en attendant son arrivée. Sa secrétaire m'avait prévenu qu'il aurait un peu de retard, mais cela faisait déjà plus de vingt minutes que nous avions rendez-vous. Il faisait une chaleur à crever. Un ventilateur rendait l'air respirable près du bureau de la secrétaire, mais elle avait fixé l'appareil, ce qui empêchait le vent frais de se propager dans la pièce, et notamment vers moi. J'étais assis sur une chaise qui m'avait paru plutôt fonctionnelle, mais avec le temps, je me rendais progressivement compte de sa dureté. Les gens qui traversaient le hall d'accueil saluaient la secrétaire, mais pas moi. Je n'existais pas.

« Vous pouvez le prévenir que je suis là ? tentai-je à nouveau.

— Oui, monsieur. Il le sait.

— Ah...

— ...

— Merci... »

Pourquoi me faisait-il poireauter comme ça ? J'étais arrivé gonflé d'espoir, mais l'attente anéantissait mes parcelles positives. N'avait-il aucun respect pour moi ? Pour ma carrière ? J'avais l'impression d'être moins qu'un stagiaire. Je me sentais si humilié que j'avais comme des larmes qui se formaient dans la gorge. Enfin, Berthier est arrivé, avec près d'une heure de retard. Il s'est à peine excusé. Et moi, comme un con, je me suis mis à sourire en assurant que ce n'était pas grave.

À peine installé à son bureau, il a pris son téléphone en disant : « Attends, je dois juste passer un petit coup de fil. » Et c'est reparti pour un tour. Il s'est mis à parler pendant de longues minutes, tout en me jetant de petits regards de connivence. J'en profitai pour observer les lieux. Il y avait une photo dans un cadre où il était en vacances avec sa femme, sur une plage magnifique. Berthier raccrocha enfin. Pour la seconde fois, il ne s'excusa pas, préférant commenter ce que je voyais :

« Ah je comprends que tu regardes cette photo. Je te dis pas, c'était le paradis. Le mois prochain, avec Nathalie, on va faire les Bahamas. Tu as déjà *fait* les Bahamas, toi, avec ta Nathalie ?

— Non... Jamais.

— Elle va bien, d'ailleurs, ta femme ?

— Oui très bien, merci.

— Faudrait qu'on se refasse un dîner tous les quatre. C'était sympa, hein ? Mais bon, c'est vrai qu'on n'a pas le temps. On a des vies de dingues ! En plus, après les Bahamas, je me coltine un congrès à Miami. Je te jure, ça n'arrête pas. Enfin ça me fait des *miles* pour ma carte Air France.

— Ah oui... c'est bien, les miles, fis-je sans conviction.

— Bon et toi mon vieux ? Qu'est-ce qui t'arrive ? Je dois t'avouer que j'étais sur le cul quand j'ai appris pour ton licenciement. Des bosseurs comme toi, j'en connais pas beaucoup.

— Merci... Enfin bon, tu sais bien... c'est la crise... en ce moment...

— La crise, elle a bon dos, coupa-t-il brutalement.

— ...

— À ce qu'on m'a dit... tu as eu des soucis avec un client...

— Mais non... enfin, pas du tout... C'est rien... vraiment rien... mais ça a pris des proportions...

— Remarque, je te comprends. Il y en a plus d'un à qui je péterais bien la gueule...

— Mais non... je ne lui ai pas... pété...

— Ils nous font chier à la fin ! Tu as très bien fait !

— Mais, ce n'est pas ça... Je ne l'ai pas agressé... vraiment pas...

— C'est pas ce qu'on m'a raconté.

— Qu'est-ce qu'on t'a raconté ? Tu me connais... je ne pourrais jamais... enfin voyons...

— Oui c'est vrai que ça m'a surpris. Enfin bon, tout est possible...

— ... »

Je n'en revenais pas qu'il sous-entende que cette histoire ait pu être vraie. On se connaissait depuis des années, mais ça ne changeait rien. J'aurais voulu l'entendre dire : « Oui... bien sûr... ce n'est pas toi... pas ton genre, je te connais... » Mais non, il me regardait avec gêne. J'étais désarçonné. J'avais le sentiment d'être seul à me battre avec la vérité. J'avais légèrement dérapé, et voilà qu'on me faisait passer pour un agresseur de clients. Berthier continuait à me regarder sans rien dire, l'air supérieur, comme si le fait d'avoir un emploi le propulsait dans la catégorie des surhommes. Et moi, j'étais un toutou, quémandant le petit os qu'il consentirait peut-être à me donner. Au bout d'un moment, il a demandé :

« Quels sont tes projets ?

— ... »

Pouvais-je lui avouer que mon seul projet à cet instant était d'acheter des poireaux pour ma mère ?

J'ai laissé un blanc qu'il n'a rien fait pour combler. Finalement, je me suis abaissé à marmonner :

« Justement, tu m'as dit de passer pour parler de ma situation… voir ce qu'on pouvait faire…

— Ce qu'on pouvait faire ?

— Ben… oui… je me disais qu'il y avait peut-être quelque chose pour moi…

— Ah oui… mais tu sais, en ce moment, c'est très compliqué.

— Alors pourquoi tu m'as dit… de venir… J'ai cru…

— Oh là là, non, il n'y a rien en ce moment, tu te doutes bien… et puis je dois t'avouer que ce que tu as fait n'aide pas…

— Mais je n'ai rien fait !

— … Hum…

— Et mon parcours, ça ne compte pas ?… À la grande époque du Lyonnais, on en a monté, des coups, ensemble… Tu sais ce que je vaux…

— Oui, je connais ta valeur… mais les temps ont changé, Bernard…

— … »

Pourquoi m'évertuer à vanter mes propres mérites auprès de ce salaud ? Il n'avait rien à me proposer. Il avait voulu me voir uniquement pour apprécier sa propre situation. C'est ainsi que jouissent les minables. Il n'avait pas été particulièrement violent, ni même désagréable, mais ce rendez-vous (auquel il fallait ajouter l'attente) avait été l'humiliation de trop. Je me suis levé et j'ai vaguement tendu la main. Mais au dernier moment, sur une pulsion, je lui ai assené une grande claque. J'aurais pu lui mettre un coup de poing mais, c'est comme ça, ma main a préféré l'option claque. Berthier est quasiment tombé à la renverse, avant de se redresser. Il n'en revenait pas. Quelques secondes ont passé dans un étrange silence, puis il a explosé :

« Mais tu es complètement malade !

— ...

— Faut te faire soigner ! »

J'ai quitté très calmement le bureau, soulagé. Je n'aurais pas pu continuer à vivre si je n'avais pas réagi à pareille saloperie. En passant devant la secrétaire, j'ai failli lui mettre une baffe, à elle aussi, mais j'ai simplement relevé le bouton du ventilateur pour que l'air frais balaie enfin toute la pièce.

6

Je suis rentré en métro. Contrairement à ce qui se produisait dans ma vie d'avant, j'ai trouvé une place pour m'asseoir dans le wagon. Je ne vivais plus au rythme des heures de pointe. J'ai ressenti quelque chose que je pourrais définir par *la sensation du wagon vide*. J'avais souvent râlé dans les métros bondés et, maintenant, je me rendais compte à quel point ça me manquait. Je voulais retrouver l'insupportable existence qui était la mienne. Je venais d'agir d'une manière folle, car la vie me poussait à bout. Mais je n'étais pas fait pour être un aventurier des gestes. Je voulais retrouver le rythme de la vie normale.

Mes humeurs variaient sans cesse. Cette journée avait été une longue succession d'états contradictoires. Après un réveil en fanfare, un trop-plein d'espoir, une rage, voilà que je me retrouvais à nouveau dans une phase d'abattement. Et la journée était loin d'être finie. En sortant du métro, je ne voulais pas rentrer tout de suite, alors j'ai marché longuement. J'ai marché sans savoir où aller. La nuit venait de tomber quand je suis arrivé chez mes parents. À peine la porte ouverte, j'ai glissé sur les patins pour rejoindre le salon. J'ai soufflé un « bonsoir maman », suivi aussitôt d'un « bonsoir papa ». Deux bonsoirs qui restèrent sans réponse. J'ai aperçu la tête sinistre de mon père (je veux dire : encore plus sinistre qu'à l'ordinaire).

« Tu as dix minutes de retard ! » beugla-t-il.

C'était donc ça. Comment avais-je pu oublier que je vivais chez des talibans de l'exactitude ? Je me suis excusé, balbutiant deux trois mots, ce qui ne l'empêcha pas de continuer :

« Écoute, si tu veux vivre ici, tu es le bienvenu. Mais tu respectes nos règles. Et le soir, la règle, c'est que nous dînons à sept heures précises.

— Oui, je sais. Excuse-moi.

— Tu sais bien qu'il faut éviter de contrarier ton père », ajouta ma mère.

J'ai considéré un instant leurs visages consternés. N'avaient-ils pas d'autres préoccupations ?

Après le dîner, mon père s'asseyait toujours dans son fauteuil pour regarder le journal de vingt heures. Impassible, il contemplait les pires atrocités, se gavait de génocides et de crises sociales. Comment pouvait-il relativiser si peu, me traiter comme un criminel de guerre simplement parce que j'avais dix minutes de retard ? J'ai préféré annoncer que j'allais dormir. J'avais l'estomac noué. En avançant vers ma chambre, j'ai juste eu le temps d'entendre ma mère crier :

« Bernard ! Si tu vas te coucher, n'oublie pas de te brosser les dents !

— ... »

Était-ce vraiment la phrase que je venais d'entendre ? On m'engueulait pour mes retards, on me disait d'aller me laver les dents ; jusqu'où cela irait-il ? C'était déjà dur de venir vivre chez ses parents à cinquante ans mais là, ça devenait grotesque. Hors de question de revivre mon adolescence. Petit à petit, je sentais bien que les choses dérapaient. Ils ne voyaient plus en moi un adulte responsable, mais plutôt la version vieillie du jeune homme que j'avais été.

Quelques minutes plus tard, alors que j'étais assis sur mon lit, ma mère vint me voir.

« Oui maman, je me suis lavé les dents.

— Ce n'est pas ça...

— Alors quoi encore ?

— Tu me demandes quoi ? Mais... tu ne te souviens pas ?

— Non. Qu'est-ce qu'il y a ?

— Eh bien... les poireaux... tu as oublié les poireaux ?

— Ah pardon... j'ai été contrarié après mon rendez-vous, et du coup j'ai oublié... j'irai demain matin, promis...

— ... »

Je perçus une gradation supplémentaire d'angoisse dans son regard. Si, pour mon père, *sauter un repas* représentait le drame, dans le monde de ma mère, *oublier une course* signait le stade ultime d'un état dépressif. Elle quitta la chambre en chancelant. Je l'imaginais chuchotant à mon père : « Tu te rends compte ? Il a oublié les poireaux... »

7

Au début, j'avais espéré que Nathalie reviendrait sur sa décision. J'avais pensé que notre séparation serait une question de quelques semaines, pas plus. Une virgule dans une phrase. À tout moment, elle pouvait m'envoyer un message pour me demander de revenir. Et j'aurais accouru tel un chien, tel un homme amoureux. J'avais joué à l'adulte responsable qui accepte dignement une crise conjugale. Mais le message attendu n'était jamais venu et, pire, j'avais découvert que ce n'était pas une virgule qui nous séparait, mais tout un roman. Il y avait une autre histoire, il y avait un autre homme. Du coup, je m'étais écarté de mon téléphone. Je ne voulais plus passer mon temps à attendre ce qui ne viendrait plus.

Cette nuit-là, je l'ai enfin regardé pour y découvrir plusieurs messages de Nathalie, mais aussi d'Alice qui était rentrée à Paris. Elle qui m'avait tant manqué, dont le départ pour l'autre bout du monde m'avait déstabilisé, était de retour. Cela changeait tout. J'avais l'impression que ma vie d'avant revenait à moi, si courte illusion, car l'un des messages de Nathalie me fit l'effet d'une douche froide : « Comme je n'arrivais pas à te joindre, j'ai été obligée de dire à Alice que nous allions nous séparer. Elle a compris. Je t'embrasse, Nathalie. » Je restais rivé aux mots que je venais de lire. Notre vie s'écrivait donc maintenant en style télégraphique. Et puis, que signifiait : « Elle a compris » ? Il semblait qu'elle avait admis ce fait, sans l'encombrer d'états d'âme excessifs. Partout autour d'elle, les couples se séparaient. Nous faisions simplement partie de cette désintégration généralisée. Il n'y avait pas de heurts, pas de cris. Tout semblait logique dans notre échec, qui était celui de chacun. J'aurais voulu que notre séparation soit vécue comme un drame inadmissible, qu'elle soit intolérable ; j'aurais voulu que notre séparation soit un scandale. Mais non, rien de tout cela. Notre fin se vivait comme un rivage paisible. J'éprouvais une douleur supplémentaire à cette idée. Ma vie ne cessait de s'accomplir sans le moindre éclat ; cela ne pouvait plus durer ainsi.

Dans un autre message, ma femme écrivait qu'elle n'avait pas prévenu notre fille de ma situation professionnelle. Dans l'énoncé de ma déchéance, il fallait procéder par étapes. Je n'ai pas pu me rendormir. Je ne savais que faire. Je voulais tant voir Alice, la serrer dans mes bras, en silence. J'éprouvais l'étrange certitude que si j'étais près d'elle, alors tout irait mieux. Ce n'était peut-être pas un hasard si ma vie avait sombré peu après son départ pour le Brésil. Mais que lui dire ? Elle me demanderait où je vivais. Je ne pouvais pas lui mentir. Et encore moins lui dire la vérité. J'avais honte. Oui, honte. Le mot n'est pas trop fort. J'avais pu assumer jusqu'ici mes difficultés, mais pas vis-à-vis de ma fille. Petite, elle disait tout le temps qu'elle voudrait plus tard épouser son père. Si les années avaient sûrement un peu grignoté l'estime qu'elle me portait, je ne voulais pas apparaître dans la vérité si décevante de ma condition. Je voulais arranger les choses avant de la revoir. Une décision douloureuse alors qu'elle était maintenant si près de moi.

Pas trop tôt (pour ne pas la réveiller) mais pas trop tard (car j'étais pressé de lui parler), j'ai appelé Alice. Elle décrocha à la première sonnerie :

« Papa ! Mais où étais-tu ?

— Je suis... à... Poitiers.

— À Poitiers ?

— Oui, pour mon travail... Je vais essayer de rentrer bientôt. C'est promis.

— Et... tu vas bien ?

— Oui... ça va.

— Pour maman, tu n'es pas trop triste ?

— C'est comme ça.

— Tu me manques...

— Moi aussi, mon amour.

— Et je voudrais t'annoncer quelque chose...

— Tu es enceinte ??? demandai-je subitement.

— Mais non ! C'est juste que j'ai rencontré un garçon, et je vais vivre avec lui...

— Ah, je le savais ! Tu l'as rencontré au Brésil, c'est ça ? Tu es rentrée pour nous annoncer ça. Ah, je m'en doutais. Et tu vas repartir ? Il joue de la guitare, c'est ça ? Vous allez faire des tournées en Amazonie ?

— Mais de quoi tu parles ?

— De... ton garçon.

— Mais non, il ne joue pas de la guitare. Et je ne l'ai pas rencontré au Brésil.

— Ah bon ?

— Je l'ai rencontré avant de partir. Et je ne pensais pas qu'il allait me manquer autant. On se parlait par Skype... mais bon, au bout d'un moment... Enfin, ce n'était plus possible.

— Ah oui je comprends...

— Tu sais... si tu ne rentres pas dans les prochains jours... je peux venir te voir...

— ... Ah non... enfin oui... mais Poitiers... c'est une ville dangereuse, il y a beaucoup d'agressions.

— À Poitiers ?

— Oui, énorme. Ça ne se sait pas trop. Ils étouffent les affaires. Mais je te le dis. C'est très chaud, Poitiers. Je fais toutes mes réunions à l'hôtel.

— Ah, je ne savais pas...

— Alors on se parle par Skype ? J'ai envie de te voir...

— Ah oui... d'accord. Mais je ne sais pas trop comment ça marche.

— C'est très simple. Installe-le sur ton ordinateur, et on se parle demain comme ça ?

— Demain... très bien...

— Je vais aller voir papi et mamie. Je vais leur faire une surprise pour le déjeuner.

— Ah...

— Bon, je te laisse, papa. Je t'aime.
— Moi aussi, ma chérie... »

J'ai raccroché. Il m'a fallu un petit temps pour saisir concrètement ses derniers mots : elle allait venir.

Elle allait venir : ici.

Je suis sorti de ma chambre pour aller voir mes parents. Ils buvaient un café dans la cuisine, assis l'un en face de l'autre, sans rien se dire. Figés, comme si la journée allait progressivement animer leur corps. Au bout d'un moment, ma mère remarqua ma présence et enchaîna à mon attention quelques « bonjour » désordonnés. Mon père, lui, ne modifia en rien son programme : boire son café au lait. J'expliquai la situation : la visite surprise d'Alice. Il fallait mettre au point avec eux quelques détails techniques.

« Alice me croit à Poitiers...
— À Poitiers ? Mais pourquoi ? Puisque tu es ici... souffla ma mère.

— Je ne veux pas qu'elle apprenne ma situation. Voilà, c'est comme ça. Alors je lui ai fait croire... que j'étais à Poitiers.

— Mais pourquoi tu as choisi Poitiers ?

— Je ne sais pas. C'est comme ça. On s'en fout.

— Ça fait vraiment pas crédible, Poitiers, lança alors mon père. À ta place, j'aurais choisi Limoges. Ça, c'est une bonne ville pour un alibi.

— Pourquoi tu dis ça ? coupa ma mère. Tu veux dire... que quand tu allais à Limoges... pour des congrès... ça voulait dire... que...

— Mais pas du tout ! Où vas-tu chercher ça ? Je dis juste que Limoges c'est plus crédible que Poitiers, c'est tout !

— Bon, ne vous énervez pas. Je vais rester dans ma chambre. Je peux compter sur vous, d'accord ? Vous ne dites rien ?

— Oui, oui d'accord... »

Je suis retourné dans ma chambre. Quelques heures plus tard, j'entendais la sonnerie, puis Alice qui criait : « Surprise ! » Sa voix me donna la chair de poule, mais mon émotion fut coupée par le jeu très appuyé de mes parents. Ma mère s'époumona : « Oh ! Quelle surprise ! Alors là ! On ne s'y attendait pas du tout ! » Puis elle demanda à mon père de confirmer :

« Hein Raymond ? Hein qu'on s'y attendait pas du tout ? Hein Raymond ? Tu lui dis à Alice, qu'on ne s'y attendait pas du tout...

— Oui, c'est vrai. Quelle surprise... très surprenante... »

Alice devait penser qu'ils étaient devenus complètement gâteux. Ils se dirigèrent vers le salon. Moi qui m'étais tant plaint de l'inutilité auditive des murs, je fus heureux de pouvoir tout écouter grâce à la passoire sonore qu'était cet appartement. Enfin, *heureux* n'était pas le mot. Loin de là. Je trouvais la situation pathétique. Ma fille qui me manquait tant était là, à quelques mètres, et je me terrais dans ma chambre. Je m'infligeais une peine cruelle. C'était absurde, elle ne me jugerait pas... Je voulus me lever et les rejoindre pour mettre un terme à cette mascarade. Mais quelque chose m'en empêcha : mon mensonge. J'avais menti en disant que j'étais à Poitiers. J'avais caché ma présence ici, maintenant. Comment comprendrait-elle une telle attitude ? Mes manigances minables risquaient de la décevoir terriblement. Encore une fois, mes décisions avaient été soumises à l'incompétence de mon jugement. Maintenant, il valait mieux s'en tenir à cette folie. Après tout, je n'étais plus à une incongruité près dans le défilé des scènes de ma vie.

La honte que j'éprouvai se transforma en motivation supplémentaire pour m'en sortir. Je devais trouver un nouvel emploi, et après je pourrais revoir ma fille. Dans de bonnes conditions. Alors que je prenais cette résolution, j'entendais son rire (ma mélodie). Elle injectait une dose de vie à cet appartement lugubre. Si je n'avais jamais été très proche de mes parents, j'avais néanmoins fait en sorte qu'Alice tisse des liens avec eux. Elle les aimait vraiment, les comparant souvent à des marionnettes. Elle aimait leur façon de s'engueuler en permanence. Je me souviens qu'elle m'avait dit un jour : « Le secret de la longévité, dans un couple, c'est de se détester. » J'avais été surpris qu'elle puisse dire cela, elle était si jeune ; elle devait à peine avoir dix-huit ans. Je repensais à ses mots maintenant, et ils m'apparaissaient sous un nouvel éclairage. Peut-être Alice avait-elle raison ? Cela aurait tout expliqué. J'avais aimé Nathalie d'une manière trop polie ; nous avions manqué de disputes.

Soudain, j'entendis du bruit dans le couloir. Des pas s'approchaient, ceux d'Alice. Mes parents avaient peut-être craqué et tout révélé. Je n'avais pas fermé ma porte à clé. À tout moment, elle pouvait me découvrir caché dans ma chambre d'adolescent. Mais non, elle allait simplement aux toilettes. De peur qu'elle ouvre incidemment ma porte, mes parents l'avaient suivie. Et ils restèrent là, plantés devant les toilettes, à attendre sa sortie. Une minute plus tard, Alice découvrit ses grands-parents qui lui adressaient de grands sourires.

« Mais qu'est-ce vous faites là ?

— Ça s'est bien passé ? improvisa mon père.

— Euh... oui..., fit Alice en riant. Vous êtes vraiment bizarres !

— C'est juste qu'on veut profiter de ta présence... » justifia ma mère.

Ils repartirent tous trois vers le salon, puis Alice annonça qu'elle devait partir, elle avait beaucoup d'amis à voir. Après quelques embrassades, j'ai entendu claquer la porte. J'ai ouvert la mienne pour me précipiter dans le salon qu'elle venait de quitter, comme si je pouvais y humer sa présence. Presque inconsciemment, j'ai caressé avec émotion la chaise où elle s'était assise, sans remarquer que mon père m'observait. Il coupa ma rêverie :

« Ça devient vraiment n'importe quoi, toute cette histoire.

— ... »

Pour une fois, je dus bien admettre que j'étais d'accord avec lui.

8

Un peu plus tard dans l'après-midi, nous nous sommes encore une fois retrouvés en famille dans le salon, autour de la télévision. C'était le moment phare de la journée : l'enchaînement mythique des *Chiffres et des lettres* et de *Questions pour un champion*. Dans le panthéon émotionnel de ma mère, je passais bien après Julien Lepers. C'était son idole. Elle gloussait chaque soir, et malgré ses tentatives pour cacher son trouble, on devinait aisément que cet animateur était son fantasme absolu. Par pur mécanisme de jalousie primaire, mon père n'avait que mépris pour lui, estimant avec une mauvaise foi totale que *c'était facile d'avoir les réponses quand on avait les fiches dans les mains.* Ma mère raffolait de l'humour de cet homme, de son enthousiasme, de sa folie douce. Elle aurait voulu que je participe à l'émission, mais c'était un risque trop grand. Perdre au premier tour m'aurait valu une éternelle disgrâce maternelle. Déjà que notre relation affective reposait sur une peau de chagrin, je ne pouvais pas en plus me permettre de mettre en péril le petit îlot que je possédais dans son cœur.

Des Chiffres et des lettres possédait le mérite de nous réveiller en douceur. C'était comme un préliminaire à l'orgasme que serait *Questions pour un champion*. Ce jeu paisible était la version télévisuelle de la routine. On ne se regarde plus vraiment, on ne se touche plus, on a dépassé depuis longtemps le stade de l'agacement, et finalement on éprouve une forme de tendresse pour ce rendez-vous éternel qui berce notre quotidien. Les animateurs sont de vieilles connaissances sympathiques. En revanche, et c'est une manifestation paradoxale, on les regarde depuis si longtemps qu'on ne sait plus leurs noms. Vient un moment étrange où l'anonymat se superpose à la longévité de l'exposition. C'est en ce sens que l'on peut parler de routine : on voit sans regarder. Heureusement que le jeu repose sur un moment ludique, l'apparition hasardeuse des lettres au gré des demandes de consonnes ou de voyelles. Alors on cherche des mots, et on se sent toujours un peu idiot avec nos minuscules trouvailles. Les candidats, eux, vont puiser dans la folle étendue de leur savoir des mots improbables, dont le seul intérêt dans la langue française est d'être constitués de huit ou neuf lettres. On éprouve toujours une petite gêne en voyant ces génies de la fin d'après-midi ; on se dit qu'ils pourraient mieux faire avec leurs capacités.

Enfin, qui étais-je pour dire cela ? Comment pouvais-je conseiller à quiconque de *mieux faire* ? J'étais devant la télévision de mes parents, pour parfaire une journée sinistre pendant laquelle je m'étais terré dans ma chambre pour ne pas avouer à ma fille que je vivais chez eux. Peut-être que j'aurais dû, moi aussi, devenir un candidat de jeux télévisés ? C'était d'ailleurs assez étrange mais, à bien les regarder, tous ces adultes qui participaient à l'émission avaient l'air d'hommes et de femmes vivant encore chez leurs parents. Voici le tour des chiffes. Mon tour. Je me concentre. Il ne me reste plus que ça pour impressionner mes parents. J'ai toujours aimé compter. J'admets plus que jamais à quel point j'aime mon métier. C'est une souffrance de ne plus pouvoir le pratiquer. J'ai toujours raffolé des colonnes de chiffres, basculer des sommes d'un compte à l'autre, observer les mouvements des taux d'intérêt. Tout ça me manque. Alors, devant cette émission, je retrouve un semblant de plaisir. Très concentré, après avoir essayé mentalement de nombreuses combinaisons, j'ai énoncé à voix haute : « Le compte est bon ! » Quelques secondes plus tard, les deux candidats ont avoué avoir échoué à une ou deux unités près. « Quoi ? Mais ils sont nuls ! » ai-je dit, ce qui provoqua chez mon père un regard où je pus lire à quel point il me trouvait pathétique. Mais j'avais raison. Mon calcul était bon. Il en fut ainsi pour tous les coups de chiffres. J'étais vraiment doué en calcul. C'est peut-être ridicule, mais cela me fit du bien de constater qu'il y avait encore un domaine dans lequel j'avais des compétences. Le royaume des chiffres ne m'avait pas banni.

Alors que mon aisance aurait pu satisfaire mes parents (finalement, je n'étais pas *un bon à rien*), j'ai senti un fort agacement chez mon père. Au bout d'un moment, il explosa :

« Bon, ça va ! Si tu étais si doué que ça, tu ne te serais pas fait virer comme un malpropre !

— ... »

Je restai bouche bée. Alors que j'avais éprouvé pendant quelques minutes le sentiment d'être vivant à nouveau, en tout cas d'être capable de quelque chose, voilà qu'on me renvoyait à ma triste réalité. J'étais habitué aux piques de mon père, elles ne me touchaient plus depuis des années. J'avais admis qu'il était préférable de ne plus rien attendre de lui en matière de tendresse, ou simplement d'affection, et la fin de cette attente m'avait libéré d'un poids. Mais là, de retour chez mes parents, en plein désarroi, en plein doute, j'avais baissé la garde. Je m'étais pris à reprendre espoir en une minime marque affective de mon géniteur. Comment avais-je pu y croire un seul instant ? On espère toujours quelque chose qui ne peut pas exister. Ma mère n'apprécia pas la remarque de mon père, et tenta par un regard appuyé de lui faire retirer ses propos. Il sentait sûrement qu'il était allé trop loin, mais ne savait jamais faire marche arrière. Le mot *excuse* n'existait pas dans sa bouche[9]. Je me suis alors levé pour retourner dans ma chambre.

9. Ironie totale et absurde du moment : à cet instant, le jeu était repassé du côté des lettres, et le candidat venait de gagner avec le mot « EXCUSE ».

Finalement, tout le monde peut se révéler surprenant. Quelques minutes plus tard, mon père frappait à ma porte. Il s'approcha tout doucement, vraiment doucement, comme si chaque millimètre de sa progression vers moi était un monde à renverser.

« Qu'est-ce que tu veux ? demandai-je sans amabilité.

— Je… je… je peux m'asseoir ? répondit-il, en désignant la petite chaise devant le bureau.

— Oui… »

Il s'exécuta sans rien dire. Pour la première fois depuis longtemps, il me sembla qu'il faisait son âge. Ce n'était plus un homme, mais un vieillard. Une fois assis, il regarda dans ma direction, mais pas vraiment dans mes yeux. Je sentis que les mots qu'il allait prononcer hésitaient dans sa bouche. Finalement, il commença :

« On a tous… nos mauvaises passes. Je n'aurais pas dû te juger.

— …

— J'imagine que ce n'est pas facile. J'ai connu des moments compliqués dans ma vie. Je voulais tout quitter. Surtout à cause de ta mère. Ce n'est pas facile de la supporter. Elle me fait des listes tout le temps. Fais ci, fais ça…

— …

— C'est épuisant à la fin. Depuis toujours c'est comme ça. Alors, ça me pèse parfois…

— … »

J'étais désarçonné par ce qui se jouait devant moi. Mon père, toujours si arrogant, maladroit, agressif, insensible, semblait subitement traversé par la fragilité. Je n'avais peut-être jamais compris sa véritable nature. Celle d'un homme qui abrite sa faiblesse derrière un masque de sécheresse. Après les aveux d'adultère de ma mère, voilà que je découvrais un aspect insoupçonné de la personnalité de mon père. Je comprenais que j'étais resté à la surface des choses. Et puis non, c'était absurde. Il avait sa part de responsabilité. On ne peut pas s'en vouloir de ne pas voir ce que les autres ne montrent pas. Mon monde s'effritait progressivement, celui de mes illusions, et j'avais presque envie d'avancer vers mon père pour le rassurer, lui dire que je comprenais tout. Et même lui dire que je l'aimais. Car c'était mon père et, oui, je l'aimais. Un seul geste de sa part, fût-il ridicule et misérable, et je pouvais déchaîner les torrents de cette tendresse que je n'avais cessé de confiner au fond de moi.

Alors que je dérapais progressivement dans une affectivité dégoulinante, mon père sembla reprendre des couleurs. On aurait dit qu'il était allé se promener en dehors de sa personnalité, juste pour prendre l'air de lui, comme ça, pour voir ailleurs s'il y était, et voilà qu'il revenait à sa base, à sa personnalité de toujours. Mon envie de lui tendre la main fut stoppée net par la reprise du dialogue :

« Et puis, ta situation aussi me pèse. Ta mère et moi, on est inquiets.

— Oui je sais... ça ne va pas durer.

— Non mais franchement, Bernard. Tu fais n'importe quoi ! Tu te caches dans ta chambre quand ta fille vient. Jusqu'où ça va aller ? Ta mère et moi, on est fatigués ! On ne mérite pas une vieillesse comme ça. On veut être tranquilles. Tu comprends ?

— Oui...

— Et puis, ça jase dans l'immeuble. Tout le monde ne parle que de ça. Tu nous fous la honte, Bernard.

— Mais…

— Il n'y a pas de mais. Tu dois te ressaisir. Ou alors quoi ? Tu veux qu'on meure, et qu'on te laisse l'appartement ?

— Mais pas du tout…

— Alors fais quelque chose !

— … »

Il s'est alors levé pour repartir nettement plus vite qu'il n'était venu. M'engueuler l'avait requinqué. Je n'en revenais pas de ses dernières paroles, propulsées de manière si agressive. Mais au fond, je pouvais le comprendre. Il était vieux, il était angoissé. Mes parents se faisaient trop de souci pour moi. Cela ne pouvait plus durer. Je devais réagir.

9

Pendant des mois, alors qu'elle était au Brésil, je n'avais pas utilisé Skype pour communiquer avec ma fille. D'une manière un peu conservatrice, je préférais le téléphone. Je ne me sentais pas très à l'aise avec les nouvelles technologies. Je n'avais pas de Facebook, pas de Twitter, je n'utilisais aucun des moyens modernes mis à la disposition des hommes et des femmes pour se relier entre eux ; c'était peut-être pour ça que je me retrouvais seul. Et même terriblement seul. La tête plongée dans mes problèmes et la fin probable de mon couple, je n'avais pas pris le temps d'ouvrir réellement les yeux sur ma vie sociale. J'avais perdu mon emploi, et pas un seul de mes anciens collègues n'avait demandé de mes nouvelles. Comment était-ce possible ? Avais-je noué si peu de véritables relations ? J'avais vécu à l'abri des autres. On ne m'aimait pas, je ne voyais que ça. Pourtant je me sentais sensible, attentif ; peut-être pas d'une manière flamboyante, mais il ne me semblait pas mériter un désintérêt aussi éclatant. Mes amis aussi m'avaient fui. Plus aucune nouvelle de Jean-Marc ni de Jean-Michel. J'avais senti leur gêne au moment où j'avais tenté de leur demander de l'aide. J'avais partagé avec eux des moments de camaraderie. Des moments que je pourrais qualifier maintenant, avec du recul, de légers. Pour ne pas dire fades et boursouflés par le vide. Il me restait si peu de mon passé. J'étais responsable. J'avais vécu ma vie comme d'autres partent en vacances. Et voilà que je me relevais subitement, tout brûlé.

Pendant cette longue réflexion, j'avais installé Skype, puisque ma fille insistait pour que nous communiquions ainsi. À défaut de se retrouver en vrai, elle voulait me voir à travers un écran. Après quelques essais infructueux, elle est apparue face à moi. Elle m'a dit bonjour, avec un grand sourire rythmé par un mouvement excité de la main. Je n'arrivais pas à intégrer toutes les dimensions du moment. Je devais avoir l'air terriblement niais.

« Ça va ? Oh ! Tu me réponds ? Je suis là ! s'impatienta-t-elle.

— Euh... oui... c'est fou de te voir... comme ça...

— Je suis contente ! Depuis le temps...

— Tu... as l'air... en pleine... forme... ma chérie...

— Oui... ça va. Et toi ? Pas trop de stress ?

— Moi ? Tu me demandes pour moi ? Si j'ai... trop de stress ?

— Tu vas répéter tout ce que je dis ?

— Je... Non. Tout va bien. Et toi, ton retour à Paris ?

— ...

— Alice ? Tu m'entends ? Tes amis ont dû être contents de te voir ?

— ...

— Alice ? Qu'est-ce qu'il y a ?

— Quel temps il fait à Poitiers ? demanda-t-elle subitement.

— Ben... ben... il pleut... c'est Poitiers.

— ...

— Tu m'entends ? Mais pourquoi tu fais cette tête ? »

C'est alors qu'Alice est sortie de mon ordinateur. Je me suis approché de l'écran, comme si je pouvais la suivre. Rien à faire. Elle n'était plus là. Peut-être s'agissait-il d'un problème de connexion ? Mais il me semblait que son visage s'était subitement assombri, avant qu'elle ne se lève pour partir. J'ai débranché et rebranché mille fois la prise, ce que l'on fait toujours idiotement, comme si refaire un geste pouvait modifier les conséquences de ce que nous venons de faire. Mais la situation demeurait figée dans le rien. Elle ne répondait plus. On vantait sans cesse la modernité, mais au bout du compte, ça ne marchait jamais. J'avais l'impression d'avoir été victime d'un rapt. On m'avait amputé de minutes avec ma fille. Bien sûr, mon état de frustration était lié au temps passé loin l'un de l'autre. Comment avais-je pu me croire capable de vivre sans elle ? Sa courte présence avait créé en moi un manque supérieur à celui éprouvé dans l'habitude de son absence. J'avais l'impression de franchir une nouvelle étape dans l'absurdité. J'étais là, terré dans cette chambre qui me semblait subitement avoir l'allure d'un sous-sol. Un mot qui m'a toujours fait penser au roman de Dostoïevski[10], *Les Carnets du sous-sol*, qui s'ouvre ainsi :

10. Oui, un banquier peut avoir lu Dostoïevski ; et même, je me demande si ce n'est pas nécessaire d'avoir un peu de littérature russe dans les veines pour appréhender l'incessante fluctuation des mouvements boursiers.

« Je suis un homme malade… Je suis un homme méchant. Un homme repoussoir, voilà ce que je suis. »

Je voudrais me lever et crier quelque chose. Mais quoi ? Les mots ont déserté ma bouche, sûrement épuisés par le manque d'inspiration qui m'habite. C'est à cet instant précis de ma frustration que j'entendis retentir une sonnerie. Un de mes parents (difficile de savoir lequel, tant le déplacement sur patins anéantit toute différenciation humaine) ouvrit la porte. Quelqu'un pénétra vivement dans l'appartement, il n'y avait pas de doute là-dessus, ni bonjour ni rien, un invité en forme de projectile. Autre évidence : la personne se dirigeait vers ma chambre, maintenant, là, tout de suite… et ouvrait la porte. C'était Alice. Ma fille se tenait immobile dans l'embrasure de la porte.

Comme elle demeurait silencieuse, il m'a semblé que j'aurais intérêt à parler :

« Ma chérie… je vais tout t'expliquer.

— Mais expliquer quoi ?! Que tu me fais croire que tu es à Poitiers ? J'ai été conne d'y croire aussi. Qui peut être à Poitiers ?! Franchement ?! Et puis... hier... ne me dis pas que tu étais là... quand je suis venue déjeuner...

— ... dis-je en baissant la tête.

— Je n'y crois pas. Il faut que tu m'expliques, papa.

— ...

— Et tu es trop con avec Skype. T'as pas remarqué qu'on pouvait voir ce qu'il y a derrière toi pendant que tu parles ?! La même affiche des Pink Floyd dans une chambre d'hôtel à Poitiers !

— ... »

J'ai tourné la tête vers l'affiche, pour enfin comprendre comment Alice avait saisi ma petite manigance. Alors que nous demeurions suspendus dans le silence (on devait attendre que je parle), mes parents étaient postés au second plan de la scène. Ma fille furieuse, mes parents mi-inquiets mi-dépressifs, tout ça ressemblait à une sorte de mauvaise *pièce de boulevard*. Et encore, je suis gentil avec moi-même ; mon histoire ne méritait certainement pas un boulevard ; tout ça ressemblait à une mauvaise pièce de rue ; pour ne pas dire de ruelle ; pour ne pas dire *d'impasse*.

10

Une heure plus tard, je buvais calmement un thé dans le salon avec ma fille. Je lui racontais l'enchaînement infernal des dernières semaines, et mon incapacité à lui avouer ce que je traversais. C'est sur ce point qu'elle fut le plus sévère. Pourquoi avais-je voulu lui cacher mes difficultés ? C'était absurde. Elle a même ajouté : « Je ne suis plus une petite fille. » Elle avait raison. Je l'avais protégée comme on protège une enfant. Et tout cela était fini. Ma petite fille était une adulte capable d'affronter les brouillons du destin, y compris ceux de son père. Elle me fit promettre de ne plus lui mentir. Au bout d'un moment, elle se mit à rire du ridicule de la situation. Le mensonge sur Poitiers (elle ne cessait de répéter : « Mais pourquoi Poitiers ?! ») et mon utilisation catastrophique de la modernité technologique. J'avais été stupide. Les déchéances sont ainsi faites ; quand on trébuche, on perd en lucidité. Et, ainsi de suite, on trébuche d'autant plus facilement.

Dans un second temps, Alice réfléchit aux démarches à entreprendre. Elle voulait m'aider à refaire mon CV. Elle était certaine que j'allais retrouver du travail. Tout semblait possible quand elle parlait. Elle avait une façon de transformer les mots en promesses. Je n'en revenais pas d'être le père d'une jeune femme si positive. Cela dit, quand je vois mes parents, je dois admettre que personne ne se ressemble dans notre famille. Nous formons un étrange assemblage, pour ne pas dire : un mystère génétique. Ma fille m'annonça également qu'il était désormais inutile que je lui vienne en aide financièrement. Elle allait trouver un travail en plus de ses études, et puis Jean, son fiancé, commençait à gagner sa vie. À seulement vingt-trois ans, il avait déjà monté une société, une « start-up » comme disait Alice, qui fonctionnait très bien. Cela me fascinait. Je n'avais jamais eu le goût d'entreprendre. Je m'étais toujours laissé guider. Si j'estimais avoir fait une honnête carrière professionnelle, je la devais surtout à une période où les choses étaient plus simples. De nos jours, il fallait se démener bien davantage pour tirer son épingle du jeu. Étant dépourvu de hargne et d'ambition, je n'étais pas fait pour notre époque[11]. La preuve, au premier coup dur, je retournais chez papa et maman. D'accord, je n'avais pas eu réellement le choix, et je ne devais pas être le seul dans ce cas-là, mais j'avais abdiqué bien vite. Les mots d'Alice, et l'exemple de son fiancé aussi, me propulsaient à nouveau dans la dynamique de la réussite.

Dynamique qui s'enraya assez vite car Nathalie fut à son tour au courant de l'improbable endroit où j'étais allé chercher refuge. Elle débarqua aussitôt, et je pus constater, à l'effroi que je lus dans son regard, que je n'étais pas près d'entamer une nouvelle ascension. Tout comme Alice, elle ne comprenait pas pourquoi je n'avais rien dit. Telle mère, telle fille. Et donc, telle réponse à la fille, telle réponse à la mère. J'ai expliqué à nouveau à quel point il aurait été compliqué d'avouer une telle vérité. Et puis, franchement, qu'est-ce que cela pouvait bien lui faire ? Elle ne s'intéressait plus à moi...

11. L'idéal aurait été de passer toute ma vie dans les années 1980, et même le début de cette décennie. Une vie entière en 1982, voilà ce qui aurait été parfait pour moi.

« Comment peux-tu dire ça ? osa-t-elle.

— Tu m'as quitté.

— Et alors ? Oh, Bernard, arrête de faire ta victime !

— ...

— Tu es retourné vivre chez tes parents ! Voyons, Bernard ! Tu aurais dû me dire ce qui se passait. On aurait fait quelque chose...

— Quoi ? » demandai-je sèchement.

Nathalie ne répondit rien. C'était impressionnant de revivre exactement la même scène qu'avec Alice. Sur un rythme identique. Après l'agacement venait la détente, et nous avons aussi bu un thé. Encore une fois, mes parents restaient en retrait, probablement effarés par le défilé qui s'opérait sous leurs yeux.

À vrai dire, j'étais assez déstabilisé. Nathalie et moi parlions comme un couple qui cherche à se sortir d'une situation compliquée. Mais elle n'était plus ma femme. Et ça se voyait. Elle était déjà loin. Son implication prenait parfois des accents de compassion, pour ne pas dire de pitié. Je ne voulais pas partager mes difficultés avec elle.

Si je ne savais pas ce que je désirais, je sentais que l'amour que j'éprouvais encore était constellé de pulsions haineuses. Je lui en voulais tellement. Mais l'évidence de mon sentiment était plus forte, et me poussait à lui faire croire que j'étais très confiant en mon avenir. Je composais cette équation pathétique : ne pas montrer sa faiblesse dans l'espoir de reconquérir l'autre. Je tentais même de m'intéresser à ce qu'elle vivait :

« Et avec... ton nouveau... enfin...

— Quoi Bernard ?

— Eh bien... comment ça se passe ? Tu es... heureuse ?

— Oui, avoua-t-elle après un temps.

— Je suis content pour toi.

— C'est vrai ? s'illumina Nathalie.

— Non, ce n'est pas vrai. J'ai dit ça comme ça.

— ...

— Et il s'appelle comment ?

— ...

— Tu ne veux pas me le dire ?

— ...

— Alors ?

— Il s'appelle... Bernard.

— Quoi ???

— Oui, il s'appelle comme toi. »

Ah non. Je ne voulais pas de ça. Je pouvais admettre que ma femme me quitte, mais pas pour un Bernard. C'était moi, Bernard. Cela ne pouvait être que moi. Elle ne pouvait pas passer d'un Bernard à l'autre.

« Ce n'est pas possible. Tu n'as pas le droit !
— Oh, ça va ! Tu n'as pas le monopole du Bernard ! »

J'avais envie de crier que si, justement. Je voulais le monopole, car mon prénom, c'était tout ce qui me restait. Et voilà qu'on me le volait. Pourquoi avait-elle choisi un nouveau Bernard ?

« Justement, je voulais te parler de lui, enchaîna Nathalie.
— ...
— Je lui ai dit que j'allais te voir... et que tu vivais chez tes parents. Alors... il m'a proposé de t'aider... enfin, de te prêter de l'argent... si tu veux...
— Tu... Quoi ? Tu peux répéter ?
— Calme-toi. J'ai juste dit ça comme ça...
— Tu veux que ton nouveau Bernard me prête de l'argent à moi ? À moi, ton ancien Bernard ?! Hein,

c'est ça que tu veux ?! Mais, tu me prends pour qui ? J'ai honte que tu me proposes ça ! De l'argent, de sa part à lui ? Celui qui m'a volé ma femme ! Je vous fais autant pitié que ça ?! C'est ça ?!

— Bernard... tes parents sont là... calme-toi !

— Je n'ai pas envie de me calmer !! »

J'ai jeté un œil vers mes parents qui faisaient mine de n'avoir rien entendu. Je retenais en moi un tel bouillonnement. J'avais envie de tout casser (évidemment, ce n'était pas mon genre). Il fallait que je me calme. Cela ne servait à rien de se mettre dans un tel état. C'était une maladresse, rien qu'une maladresse. Il est en ainsi de toutes les séparations, sûrement. On ne sait que dire, alors on dit des choses qui blessent. On ne sait plus réellement ce que voudrait l'autre. Alice chuchota que sa mère voulait juste m'aider, c'est tout. Je crois que j'étais surtout honteux de ma situation. D'être ici chez mes parents avec ma femme et ma fille, à devoir affronter leurs regards. Elles savaient tout maintenant. C'est ce qui me faisait mal. C'est plus facile d'être malheureux à l'abri de ceux qu'on aime. Nathalie avait essayé de bien faire, mais il n'y avait rien à faire car elle ne m'aimait plus. La seule chose qu'elle pouvait faire pour moi, c'était de m'aimer à nouveau. Je me suis excusé pour l'excessivité de ma réaction, et elle a enchaîné aussitôt : « Non, c'est moi qui m'excuse. » J'ai dit : « Non, c'est moi... » Ce petit manège a duré presque une minute, le temps de nous décrocher un sourire. La valse des excuses nous sauvait. Nous mettions un voile de politesse sur notre histoire. Cette politesse qui est la marque de la fin d'une histoire, le début d'une distance. Je venais de l'admettre pour toujours.

Je me suis retrouvé seul avec mes parents. C'était déjà l'heure de *Questions pour un champion*, et la télévision n'était pas allumée (c'est dire l'ampleur du drame). Ils étaient restés silencieux tout l'après-midi, pour ne pas gêner la mécanique de nos explications. Mon père s'approcha de moi. Il avait quelque chose à m'annoncer : je le voyais à sa façon de ne pas allumer la télévision. À sa façon de tourner autour du canapé. Au bout d'un moment, ma mère lui lança un regard, comme pour l'exhorter à parler. Ce qu'il fit :

« Je voulais te dire que demain, nous avons invité un couple d'amis à dîner.

— Ah très bien... et vous voulez que je parte ? dis-je.

— Pas du tout. Au contraire.

— Au contraire ?

— Oui, enchaîna mon père. Ils vont venir avec leur fille. Elle a cinquante ans comme toi, et sort tout juste d'une séparation.

— ...

— Il faut qu'elle refasse sa vie. »

C'était l'apothéose de cette journée. Ils voulaient me caser avec la fille de leurs amis. Ils avaient dû planifier ça ensemble. La simple idée que mes parents puissent être à l'origine d'une de mes rencontres amoureuses me donnait la nausée. Mais ce qui me dégoûtait encore plus, c'était l'expression : *refaire sa vie.* Elle me déprimait à un point inouï. Je l'avais toujours trouvée affreuse, et encore plus maintenant qu'on l'associait à moi. Ça voulait dire quoi *refaire sa vie* ? Ça voulait dire que la première avait été ratée, et qu'il fallait donc la refaire. Ça voulait dire qu'on sortait d'un brouillon, d'un travail mal fait, et que tout était à recommencer. J'avais raté ma vie : j'avais été nul en vie. J'étais comme un redoublant. J'avais vécu cinquante ans, et maintenant on me demandait de tout refaire. Le soir encore, j'y repensais, à cette expression, elle me hantait, elle m'obsédait, elle me narguait. Mais c'était la réalité de ce qui m'attendait : moi aussi, je devais *refaire ma vie.*

TROISIÈME PARTIE

1

« Essaye d'être présentable, me pria ma mère. Ce sont de bons amis, tu sais. Ils tiennent tous les deux une quincaillerie, et ton père est leur meilleur client... » J'ai aussitôt pensé : comment peut-on tenir une quincaillerie à deux ? En couple. Toute une vie au milieu des clous.

Personne ne me demandait mon avis. Ma mère avait repassé une chemise qui m'était destinée, assortie d'une cravate. J'étais un adolescent en pleine crise contraint de jouer les bêtes sociales. On m'habillait, on me forçait à sourire et peut-être même à séduire, alors que la simple idée de me regarder dans un miroir m'épuisait. Bien sûr, je n'avais aucune envie de rencontrer quiconque ; j'aimais toujours ma femme. Et notre séparation flottait encore dans cette zone où le drame est suffisamment récent pour permettre de croire en la folle illusion d'un retournement de situation. Je m'accrochais à l'idée que Nathalie serait foudroyée par un éclair de lucidité en ma faveur. Égarée, elle avait pris des décisions impulsives qui buteraient bientôt sur le mur de l'évidence : nous. Cette rêverie aux relents pathétiques était mue par le fantasme que j'avais de vouloir revivre mon passé. D'une manière générale, c'était toute ma vie d'avant que je voulais à nouveau. Cette vie que j'avais vécue sans penser qu'elle pouvait m'échapper. Si seulement j'avais pu connaître l'avenir, cela m'aurait aidé à maîtriser le présent. En revanche, l'avenir de cette soirée, pas besoin de m'en faire un dessin. Cela allait être un enfer ; la version entrée-plat-dessert du calvaire.

Ma mère entra à nouveau dans ma chambre :

« Ben alors ? Tu viens ? dit-elle, exaspérée. Ça fait trois fois que je t'appelle ! Ils sont là.

— Non. Je ne viens pas.

— Bernard ! Ne commence pas !

— J'ai envie de voir personne. C'est au-dessus de mes forces.

— Fais un effort ! C'est trop tard maintenant !

— ... »

Ma mère paraissait affolée. Elle répétait en boucle des mots que je ne parvenais pas à discerner. Était-ce si grave que je veuille rester dans ma chambre ? Son attitude confirmait ce que j'avais toujours ressenti : il ne fallait jamais *faire de vagues*. Oui, c'était ça. C'était la bonne expression. Avec mes parents, tout devait être lisse et aseptisé. Quand j'étais enfant, on devait toujours parler doucement dans les lieux publics et ne jamais demander son chemin à quiconque dans la rue. Il ne fallait pas se faire remarquer. La vie devait se passer dans une fissure. Évidemment, je parle de leur comportement social. Car, une fois la porte refermée sur notre intimité, c'était *un tsunami* qui déferlait sur nous. Les grandes scènes se jouaient toujours dans les coulisses. Cette peur du dehors, de *ce que les autres vont penser*, si je l'avais toujours ressentie, elle s'aggravait chez eux avec l'âge. Ma mère suffoquait réellement, ne me laissant guère le choix. Je devais accepter la situation, et faire de mon mieux pour renouer avec le paraître.

Au salon, j'ai salué gentiment. Les amis de mes parents m'ont regardé en tentant de réprimer un air terrifié. J'ai bien senti que ma réputation peu glorieuse m'avait précédé. Leur fille, en revanche, exprimait de la bienveillance. Je l'ai embrassée, en pensant : dommage qu'elle ne soit pas plus belle. Tous les trois étaient assis sur le canapé des invités. Un canapé trois places conservé depuis des années pour les occasions spéciales. Je n'avais jamais eu le droit de m'y asseoir. Ces amis de mes parents étaient exactement comme eux. C'était fascinant. L'homme avait le dos voûté et la mine sévère de ceux qui pensent tout savoir sur tout : comme mon père. La femme avait l'air de sortir de trente ans de dépression, et semblait angoissée à l'idée de prononcer une énormité chaque fois qu'elle ouvrait la bouche : comme ma mère. En ce qui me concernait, je n'avais pas envie de m'identifier à leur fille, même si, tout comme moi, elle ne paraissait pas nager en plein excès de confiance. Sylvie (tel était son prénom) ponctuait ses attitudes d'oiseau tombé du nid par de petits sourires trop appuyés. Elle passait régulièrement la main sur sa robe, comme pour s'assurer de l'existence réelle du tissu ; à l'évidence, elle avait été poussée à s'habiller avec un soin démesuré par rapport à l'enjeu du dîner. C'était notre point commun, nous nous retrouvions sur le chemin de la docilité.

Je suis resté silencieux pendant l'apéritif, concentré que j'étais à ouvrir des cacahuètes. Ma mère me lança : « N'en mange pas trop, sinon tu ne vas plus avoir faim pour le dîner. » J'ai répondu : « Oui, maman. » Et l'assemblée a pu en déduire que j'étais vraiment bien élevé. Les parents parlaient de sujets et d'autres ; on se donnait des nouvelles des voisins et de la famille ; on s'apitoyait sur le sort d'Untel ou Untel atteint d'un cancer de la prostate ou de la maladie d'Alzheimer ; on évoquait les morts ; et on regrettait bien sûr l'insécurité dans nos villes, et le fait qu'il fasse trop froid en hiver et trop chaud en été. Un festival de réjouissances à vous donner envie de vous suicider aux cacahuètes. Heureusement, cette première partie de la soirée fut relativement brève. L'apéritif, que l'on peut considérer comme une sorte de préliminaire du repas, dure de moins en moins longtemps avec les années. Quand on est jeune, il peut traîner pendant des heures, et remplacer même le dîner parfois. Ce soir-là, il m'a semblé expéditif comme une phase nécessaire à traverser avant l'acte majeur.

Je n'avais pas envie de parler. Ça tombait bien, puisqu'on parlait de moi à la troisième personne.

J'étais devenu un objet dont on vante les mérites au télé-achat. Malgré ma ruine affective et mon désastre professionnel (ou était-ce l'inverse ?), il fallait voir en moi un merveilleux garçon, et même « un trésor d'humanité », selon les mots enflammés de ma mère. Cette mascarade sociale me dégoûtait. J'avais l'impression d'avoir seize ans, l'âge où l'on trouve tout le monde moche et con. Mon père m'a demandé si je voulais encore du vin, et là, sans savoir pourquoi, j'ai répondu :

« Euh… je vais plutôt prendre un Coca.
— Tu ne préfères vraiment pas du vin ?
— Non. Coca.
— Moi aussi… Un Coca, fit alors Sylvie.
— … »

Sa réplique surprenante plongea tout le monde dans la perplexité. Ma mère s'exécuta aussitôt, et partit chercher en cuisine les sodas. Il valait mieux ne pas laisser de temps aux commentaires. Ce dîner devait avoir du rythme pour qu'on évite de s'appesantir sur son caractère hautement improbable. J'avais été surpris par la réplique de Sylvie qui, jusqu'à présent, n'avait pas décroché un mot. Tout juste me lançait-elle quelques regards, pour jauger mon physique ou pour évaluer mon côté

« cas social ». Ce que j'avais fait également, le plus discrètement possible, puisque je feignais de ne pas m'intéresser à elle. Elle avait cinquante ans et des poussières. J'emploie cette expression car il me semblait justement voir les poussières sur son visage. C'était comme des ombres se promenant sur son enthousiasme factice. Elle avait un air *faut que je refasse ma vie*, celui qu'on voulait me coller aussi. À un moment, nos regards se sont enfin croisés. J'ai pu lire dans le sien une tentative de complicité signifiant : « Oui, on est tous les deux bien ridicules à dîner avec nos parents de quatre-vingts ans, mais c'est si ridicule que cela peut en devenir drôle... » Elle voulait m'emmener dans une forme de connivence, mais je me sentais atrocement statique. Elle avait pourtant raison ; on aurait dû en rire, dédramatiser, être dans le second degré. Rien à faire, je n'avais pas de visa pour le second degré. En tout cas, pour l'instant. Je n'arrivais pas à quitter mon état, y compris pour une simple évasion d'humeur.

Nos parents continuaient de vanter nos mérites respectifs (au moins, ça me changeait des reproches habituels), et nos points communs. Ça, c'était la partie la plus comique. Il suffisait d'apprendre que Sylvie adorait l'Italie pour voir mon père sauter sur l'occasion :

« Oh ça c'est fou ! Bernard adore les pâtes ! Hein, Bernard... dis-leur que t'adores les pâtes !! Hein Bernard ? Hein, hein ? C'est incroyable !

— Oui, j'adore les pâtes », soupirai-je comme si je venais d'avouer un meurtre.

Ils ont continué ainsi un long moment, à chercher n'importe quoi pour nous rapprocher. Plus ils essayaient, plus je sentais que je n'avais rien de commun avec cette femme. Les affinités entre deux personnes doivent être évidentes ; si elles sont fabriquées, le fossé n'en apparaît alors qu'avec plus d'évidence. Je n'allais tout de même pas refaire ma vie avec une femme parce qu'elle était allée deux fois à Rome dans sa vie et que j'aimais les lasagnes. Mais l'excitation de mon père nous permit de révéler le manège des quatre vieux. Ils essayaient de nous caser ensemble pour qu'on leur foute la paix. Pour qu'on arrête de leur gâcher leur vieillesse. Après une séparation et un licenciement, Sylvie aussi était retournée vivre chez ses parents. C'était ça notre véritable point commun.

Au bout d'un moment, cette mascarade est devenue insoutenable. Je n'avais plus envie d'écouter mon père broder sur nos fausses affinités. Je me suis levé pour aller chercher un second Coca dans le frigo. Ma mère a immédiatement réagi :

« Bernard, on ne se lève pas de table comme ça.

— Quoi ? C'est à moi que tu parles ?

— Oui... Ber... nard. On ne se lève pas... comme ça.

— Je fais ce que je veux. Je suis grand, dis-je d'une voix menaçante.

— Oui, mais tu es chez nous ! lança sèchement mon père.

— ... Chez vous... ?

— Oui, tu es chez nous ! Alors tu... nous écoutes... ah, sacré Bernard... ah ah... vraiment, tu ne fais rien comme tout le monde... » tempéra mon père à l'aide de petits sourires pour ne pas casser la belle ambiance qu'il avait réussi à instaurer à coups de « je vous ressers un peu de vin ? » Les amis semblaient se dire qu'ils avaient tout de même de la chance avec leur fille. Malgré ses difficultés, elle demeurait docile. Jamais elle ne se serait levée de table ainsi. De leur côté, la soirée avait du bon.

Finalement, j'ai cédé. Je trouvais la situation tellement folle que je n'avais même plus envie de résister. Je me suis assis tel un automate qu'on devrait réparer sous peu. Pendant quelques minutes, je suis resté suspendu quelque part, sans vraiment savoir où. J'étais entre parenthèses de moi-même, extirpé de la réalité. Plus rien n'encombrait mon esprit, le vent soufflait entre mes oreilles, on aurait pu croire qu'une armée de bouddhistes s'était emparée de mon corps. C'est souvent ainsi, il paraît. On appelle ça communément *le calme avant la tempête*. Enfin, peu importe comment on appelle ça. À cet instant, il n'y avait plus de mots. La rage qui montait propulsait mes pensées dans tous les sens, et il semblait impossible de réunir ces pulsions désordonnées pour former une idée concrète. Je me suis alors levé, et voici les mots qui sont sortis de ma bouche :

« Qu'est-ce qu'on fait là ? C'est quoi ce bordel ?

— Bernard !

— Chut !!! Je parle ! À vous écouter, j'ai douze ans ! Mais ça suffit ! Je vais vous dire ce que je pense ! Je n'en peux plus de vos têtes de cons ! Je n'en peux plus de ce dîner de merde !!

Vous cherchez à nous caser pour qu'on vous foute la paix... j'ai bien compris !

— Bernard !!! crièrent mon père et ma mère à l'unisson.

— Vous me faites tous chier ! Et si vous pensez vraiment que je vais me recaser avec cette fille ! Non, mais regardez-la ! Je comprends pourquoi son mari s'est barré... depuis tout à l'heure, elle me fait des sourires qui me dépriment !

— ...

— Tu es pathétique ! ai-je continué en me tournant vers elle. Aussi pathétique que moi ! Et puis, on dirait que tu as renoncé à tout ! Regarde comment tu es habillée ! Tu ressembles à une momie ! Et tu sens la poussière ! C'est bien simple, j'ai l'impression de dîner en face de l'Égypte !

— Bernard ! tonna à nouveau mon père.

— Il n'y a plus de Bernard ! C'est fini Bernard !

— ... »

J'ai quitté la table d'une manière mélodramatique. C'était mon moment de gloire. Je venais enfin de prouver au monde que je n'étais pas un paillasson. Ça suffisait de me traiter comme un abruti incapable de prendre sa vie en main. Oui, ça suffisait. Je me sentais léger d'avoir lâché ce que je retenais. Et j'aurais pu continuer, oui vraiment, encore et encore, je sentais en moi des torrents de paroles, d'injures ou de folles vérités. Mais il valait mieux ne pas en rajouter. Mes parents semblaient déjà plus que choqués. J'avais eu besoin de crier pour prouver que j'existais, pas pour leur faire du mal. Pourtant, à cet instant, je le sentais bien, mon visage continuait d'arborer le même air de défiance à leur égard. J'étais grand, j'étais fou, j'étais libre. D'un pas décidé, je me suis dirigé vers ma chambre, sans même repérer les obstacles sur ma route. Le choc avec le buffet du salon m'a fait déraper violemment. Il faut dire que l'utilisation abusive des patins a transformé par endroits le sol de l'appartement en patinoire, en lac lisse sans la moindre aspérité. La chute a été d'autant plus brutale que je n'ai pas vraiment eu le temps de me rendre compte que je tombais. Au dernier moment seulement, j'ai tenté d'amortir l'atterrissage avec ma main, mais c'était trop tard. Mon corps s'écrasa sur cette main peu réactive. On entendit alors un craquement qui fut aussitôt recouvert par un cri de douleur.

Écroulé sous le regard ahuri des cinq autres convives, je me sentis devenir tout blanc.

2

Sylvie, peu rancunière, fut très réactive. Elle quitta aussitôt la table pour m'aider. Constatant que j'étais au bord de l'évanouissement, elle alla vite chercher un torchon imbibé d'eau froide qu'elle tapota délicatement sur mon front. Je ne pouvais être qu'admiratif devant une telle efficacité. La douleur était forte, mais ne m'empêchait pas de marcher. Sylvie proposa néanmoins de me conduire aux urgences. Ce serait plus rapide que d'appeler un médecin. Et il faudrait certainement faire une radio. Cette option avait le mérite de nous extirper du traquenard. Finalement, ma chute avait du bon.

Quelques minutes plus tard, nous roulions dans la nuit à travers Paris. J'étais horriblement gêné. Je voulais dire quelque chose, m'excuser, mais aucun mot ne pouvait rattraper la violence de ma diatribe. De son côté, elle ne disait rien. Si elle avait décidé de m'accompagner, elle demeurait relativement froide. Le temps du trajet, j'ai tourné plusieurs fois la tête dans sa direction. Elle n'avait rien à voir avec l'Égypte. J'avais dit n'importe quoi. Elle semblait plutôt Suisse. Et même un peu Genève. Elle avait parfaitement pris la situation en main, avec efficacité et douceur. Soudain, je trouvai rassurant d'être avec elle ; le genre de femme avec qui l'on peut se permettre d'avoir des fractures.

Une fois aux urgences, il fallut attendre[12]. Finalement, l'agonie ambiante de la salle d'attente ne changeait pas vraiment de l'ambiance du dîner. Après mon éclat, j'étais gêné d'imposer encore à Sylvie une telle corvée :

« Je vous remercie vraiment… mais je ne veux pas gâcher davantage votre soirée. Vous pouvez me laisser… je vais attendre…

— On ne se tutoie plus ?

— Ah… euh… je ne sais pas…

— Non, parce que tout à l'heure… vous m'avez tutoyée. Quand vous m'avez dit que je ressemblais à une momie…

---

12. C'est là le caractère paradoxal des urgences.

— Ah... oui...

— Écoute, ça me va très bien. On peut se tutoyer...

— ...

— Pour répondre à ta question. Non, je ne vais pas te laisser tout seul. Je me suis laissé convaincre de passer la soirée avec un boulet. Je vais assumer jusqu'au bout...

— Ah... d'accord... » dis-je.

C'est à ce moment précis que le passé me rattrapa. Comment avais-je fait pour ne pas y penser avant ? C'était étrange et romanesque. Cette scène, je l'avais déjà vécue avec Nathalie. J'avais glissé lors de notre rencontre, et elle m'avait accompagné aux urgences. Étais-je donc destiné à me faire mal pour rencontrer une femme ? Devais-je y voir une symbolique ? Ce n'était pas le moment d'en tirer une quelconque conclusion. Ce que je vivais se superposait à une scène majeure de mon passé, comme pour offrir au présent l'éclairage de ma mythologie amoureuse. Secoué par cette sensation, mon visage dut prendre une expression à mi-chemin entre l'extase et la niaiserie. Il me sembla que Sylvie ne parvenait pas non plus à choisir ce qu'elle éprouvait, hésitant certainement entre la consternation et l'amusement.

Je fus enfin pris en charge par un médecin. Les radios confirmèrent la raison de ma douleur : une légère fracture du poignet. Jusqu'où allait continuer la succession des catastrophes ? Pendant qu'on me plâtrait tout l'avant-bras, Sylvie esquissa un sourire.

« C'est si drôle que ça ? demandai-je.

— Oui, finalement.

— Je suis pathétique, c'est ça ?

— Non pas vraiment. Enfin, si. Mais je pensais à l'Égypte.

— Ah...

— Finalement, c'est toi la momie, ce soir. »

Elle s'est mise à rire, un rire qui me plut, et même me contamina. Le médecin, sûrement anéanti de travail, ne nous rejoignit pas dans cette marche du rire. Au contraire, il nous observa sans pouvoir masquer son effroi. Face à ces deux quinquagénaires qui gloussaient comme des adolescents, son visage demeura aussi dur que le plâtre qui enserrait maintenant mon avant-bras.

3

En sortant de l'hôpital, nous avons décidé de marcher un peu. Nous n'avions pas envie de mettre un terme à cette soirée de plus en plus particulière. À cet instant, nous ne parlions pas beaucoup, mais c'était bien. On a toujours peur du silence quand on ne connaît pas la personne qui est en face, comme si *ne rien avoir à se dire* était un crime social ; il me semble au contraire que *partager du silence* peut marquer le début d'une véritable affinité.

Un peu plus tard, nous nous sommes installés dans un café encore ouvert. L'un de ces rares cafés parisiens qui ne ferment pas la nuit et où se retrouvent les alcooliques et les affamés, les amoureux et les désespérés. Dans quelle catégorie étions-nous ? Nous le saurions bientôt. Quand le serveur est venu nous voir, Sylvie a dit : « On va prendre deux Coca... » Je n'ai pas compris l'allusion au dîner. Les heures récentes me paraissaient si lointaines. Le dîner m'était sorti de la tête ; et mes parents aussi. J'ai rattrapé le serveur pour commander du vin rouge. Pour moi, c'était une évidence : cette soirée était *complètement vin rouge*. Il y a des moments champagne, mais ce n'était pas notre ambiance. Et puis nous étions assis[13]. L'un face à l'autre, nous allions nous découvrir. J'allais connaître Sylvie. La légèreté partagée au moment de la pose du plâtre se mua alors en quelque chose de plus grave, ou disons : de plus intime. Elle s'est mise à parler, au début si doucement que je peinais à l'entendre. On aurait dit que le volume de sa voix n'était plus habitué aux mots de la confidence. Je ne m'étais pas retrouvé dans cette situation depuis... je ne savais plus combien de temps. Ils sont tellement rares ces moments d'ailleurs, à la beauté sèche, où l'on se retrouve à deux, deux inconnus dans un endroit inconnu. Déracinés de nos vies, on pouvait parler librement, sans appréhension. On pouvait se dire que si notre compagnon de ce soir aimait nos mots, alors ce serait merveilleux. Mais dans le cas contraire,

13. Le champagne, c'est une boisson qui se boit debout.

ce ne serait pas grave. On se quitterait sans être abîmés par son jugement. Cela nous offrait cette liberté réelle, celle qui nous manque tant d'ordinaire, condamnés que nous sommes à une forme de soumission permanente à la pensée des autres.

Sylvie avait travaillé pendant des années dans une maison de disques. Elle avait connu la période festive d'une industrie au sommet de sa certitude inébranlable. On faisait des fêtes, des voyages, les gens aimaient écouter de la musique, ça ne s'arrêterait jamais. Qui pouvait penser que quelques années suffiraient à ronger un monde ? Comme bon nombre d'entreprises, son label perdait trop d'argent. Le soir, en rentrant chez elle, elle découvrait ses deux grands garçons en train d'écouter de la musique téléchargée illégalement. Quelques mois plus tard, elle fut licenciée. Elle rangea dans un carton toute une vie mais, au dernier moment, elle préféra tout jeter à la poubelle. Elle ne voulait rien emporter de ce monde qui n'existait plus. Les souvenirs ne doivent pas se substituer aux cendres. C'était pareil avec ses enfants. Ils vivaient maintenant leur vie, et c'était bien ainsi. Ils aimaient leur mère bien sûr, mais *leur carrière* les avait progressivement propulsés sur le chemin d'une autonomie confinant à l'égoïsme. Alors oui, plus rien n'existait. Et Sylvie n'était pas au bout de ses peines. Son monde devait s'écrouler d'une manière totale.

Peu avant son licenciement, son mari l'avait quittée. Pour une femme plus jeune. Quel cliché. Elle avait murmuré : « Ce n'est pas possible, ce n'est pas possible, ce n'est pas possible », avant d'ajouter : « Pas toi... » Mais si, lui. Il était tombé amoureux d'une nouvelle collègue. Enfin, peut-être n'était-il pas tombé amoureux ? Disons qu'il avait éprouvé du désir pour elle. Cela lui était arrivé d'avoir des aventures, pas énormément, mais il avait déjà trompé sa femme. Des histoires sans lendemain, comme on les appelle. Alors pourquoi celle-ci aurait-elle un lendemain ? Et même, de nombreux lendemains. Pour la simple raison que son mari ne semblait plus pouvoir se passer de sa maîtresse. Elle était la vie, l'érotisme, la légèreté, disait-il, et il en raffolait. La vie était trop courte, selon lui, pour s'encombrer de frustration. *La vie trop courte*, le meilleur argument de l'adultère. Il attendait fébrilement les moments où il pourrait retrouver sa maîtresse. Un jour, la jeune femme lui avait posé l'ultimatum[14] classique : c'était elle ou Sylvie.

« Je sais que ce ne fut pas facile pour lui de me quitter... » expliqua étrangement Sylvie. Sans doute s'était-elle accrochée à cette idée pour résister. S'il avait brisé leur mariage, c'est qu'il n'avait pas pu faire autrement. Mais ça ne changeait rien à sa décision. Le départ de son mari l'avait achevée. Elle était restée prostrée pendant des semaines. Ses enfants étaient venus la voir régulièrement, au début surtout, mais elle avait fait en sorte de ne pas leur montrer ce qu'elle éprouvait. Elle disait que c'était *la vie*, alors que jamais elle ne s'était sentie aussi morte. Elle n'avait pas voulu leur faire comprendre la brutalité, l'atroce brutalité que représentait pour elle le fait d'être délaissée. Délaissée à cause d'une petite pute qui avait dû sucer son mari à lui faire perdre la tête. Ce premier dérapage dans l'agressivité me fit comprendre à quel point la blessure était encore vive, pour ne pas dire vivante, palpitant sous mes yeux.

14. Un *ultime à homme*, comme dit la princesse des saules pleureurs.

Sirotant son vin à petites gorgées, Sylvie continuait à se raconter. Avec des pauses parfois qui semblaient marquer son propre étonnement face à ce qu'elle était en train de faire : se confesser. Se confesser entièrement. Malgré la gravité de ses propos, elle ne présentait pas les situations de manière dramatique. On sentait sa douleur, sa souffrance, mais elle n'en rajoutait pas. Elle avait une forme de pudeur permanente, et plus encore : de délicatesse. Il lui arrivait même d'esquisser quelques sourires (peut-être était-ce dû à l'alcool ?), et notamment quand elle évoquait la nouvelle vie de son mari. La jeune femme était relativement dépensière. Et elle était du genre à juger le degré d'un amour aux sommes dépensées pour le prouver. L'ex-mari de Sylvie s'était ainsi transformé en tirelire, ne cessant de faire des dépenses importantes. Mais cela eut des conséquences pour Sylvie (un degré supérieur dans la déchéance de son couple). Alors qu'il la savait au chômage, il avait trouvé plus commode de cesser de lui verser de pension. C'est ce qui l'avait contrainte à retourner chez ses parents.

Son histoire me paraissait plus tragique que la mienne, alors que nos situations se tenaient la main, dans cette solidarité du triste. J'avais vu cette femme dans le salon de mes parents, et je l'avais mal jugée. Je m'étais moqué de ses petits sourires qui tentaient d'établir une connivence entre nous, alors qu'ils étaient la manifestation d'une force que je n'avais pas. Je passais finalement mon temps à geindre. Malgré la spirale désastreuse qu'elle venait de traverser, Sylvie demeurait positive. Ne se plaignant jamais, exprimant sans pathos ses déconvenues, elle me bouleversait. Je lui ai alors demandé ce qu'elle comptait faire :

« Tu veux dire maintenant ?

— Non... plus tard, répondis-je sans même percevoir l'ironie de sa réponse.

— Plus tard... je pense que je n'ai pas trop le choix. Je vais reprendre la quincaillerie de mes parents.

— Mais... ce n'est pas pour toi...

— Bernard, je n'ai pas le choix. Depuis quelques jours, je me suis faite à cette idée. Et j'ai plein de projets pour moderniser la boutique. Je pourrais même faire un coin à outils sexuels. Après tout, avec tous les clous qu'il y a là-bas, je pourrais attirer la clientèle sado-maso...

— Oh...

— Il faut innover Bernard. Tu m'entends ? Il faut innover.

— ...

— C'est la seule solution aujourd'hui. »

Innover. Elle avait absolument raison. Il fallait regarder autour de nous et trouver de nouvelles solutions. Le monde était essoufflé, épuisé par la crise financière. N'était-ce pas le moment de tout changer ? De tout inverser, renverser. Je me suis laissé aller un instant à une rêverie autour de mon métier, je n'avais pas d'idées, mais j'ai compris qu'aller faire le tour des banques avec mon CV n'avait plus le moindre intérêt. Vanter mes mérites dans un monde qui s'effondrait devenait grotesque. Plus personne ne m'attendait comme j'étais. Je devais innover moi aussi. La première phrase qui me vint fut alors :

« Demain je me laisse pousser la moustache.

— C'est bien Bernard. Ça ne te permettra pas de quitter tes parents, mais c'est un début... » dit-elle en réprimant un rire.

J'admis que cette impulsion n'était pas des plus pertinentes, mais je ne voulais plus réfléchir. Avec Sylvie, je voulais être libre de parler, de laisser les mots jaillir de ma bouche, sans leur donner une autorisation de sortie.

Toute la nuit, nous avons parlé, encore et encore. Et bu, encore et encore. L'ivresse me faisait du bien ; je me rendais compte à quel point j'avais mené ma vie de manière trop sobre. On évoquait des anecdotes sur notre passé, les pires moments, les scènes embarrassantes, les frustrations. On se parlait sans gêne. Je ne sais plus vraiment comment c'est venu, mais au bout d'un moment, je lui ai demandé :

« Et tu es née où ?

— À Poitiers.

— Non ? À Poitiers ? Vraiment ?

— Mais oui, pourquoi ? Il n'y a rien d'extraordinaire.

— Tu es née à Poitiers ! C'est incroyable.

— Bon, tu m'expliques ? Qu'est-ce qu'il y a, avec Poitiers ?

— Mais Poitiers, Poitiers... c'est la ville où je suis en ce moment !

— Bernard... il vaut mieux qu'on arrête de boire...

— Poitiers... » soufflai-je une dernière fois.

Elle avait raison, il valait mieux arrêter de boire. Nous sommes sortis dans la rue, pour marcher un peu, mais cette fois-ci de manière un peu moins rectiligne. Sylvie paraissait inquiète à l'idée que je tombe à nouveau. Nous nous sommes finalement assis sur un banc, pour constater que le soleil se levait. J'avais passé la nuit à redécouvrir des sensations oubliées. Nous finissions notre soirée comme nous l'avions commencée : dans le silence. Nous aurions sûrement pu nous embrasser, ce matin-là, mais nous ne l'avons pas fait. C'était tout comme. J'avais le goût de ses lèvres sur les miennes, comme par fantasme, comme par proximité avec la réalité. Il n'est pas nécessaire de vivre concrètement certaines choses tant la densité du moment nous les offre d'une manière souterraine, et peut-être plus forte encore. Comme si la vie était cachée sous la vie.

4

En arrivant chez mes parents, j'ai tenté de faire le moins de bruit possible. Pour une fois, les patins se révélaient utiles. Sur le chemin vers mon lit, j'ai constaté que le salon était parfaitement rangé. Personne n'aurait pu croire qu'un dîner avait eu lieu ici même, quelques heures auparavant. Mes parents maîtrisaient mieux que quiconque l'art d'effacer toute trace de présence humaine sur leurs terres. En vivant ici, on devenait *un homme sans traces*. Mes cris et mon désordre n'existaient plus. Sans preuve, on pouvait douter de la réalité. Mes parents auraient été capables de nier ma mutinerie. Je les imaginais si bien en négationnistes de mon histoire. Si le salon présentait son aspect de toujours, cela voulait dire que rien n'était arrivé. Il n'y avait pas eu de dîner, pas de cris de ma part, pas de chute. Cela n'avait pas existé, et n'aurait donc pas de conséquences. Sur ce dernier point, je me trompais grandement :

mon agitation passagère de la veille allait provoquer quelques folies.

Cette nuit-là (ou plutôt ce matin-là), j'ai peu dormi. Cet état d'approximation physique, ce sentiment de n'être qu'un brouillon de soi après une nuit de beuverie et d'errance, me correspondait parfaitement. Je me suis dirigé vers la cuisine d'un pas assuré, comme tout salarié vivant une vie huilée aux horaires précis. Je découvris ma mère, assise devant son bol, plongée dans une rêverie. Elle semblait ailleurs. On eût dit qu'elle avait abandonné son corps comme on laisse un chien au bord de la route. Malgré quelques manifestations grossières de comportement – une petite toux, un raclement de gorge, et même un « bonjour maman » qui demeura sans réponse –, elle ne leva pas la tête dans ma direction. Je n'existais pas ; elle ne m'interrogeait même pas sur mon bras plâtré. Elle m'en voulait probablement de mon attitude de la veille, la punition suprême étant le mépris. Mais non, ce n'était pas ça. Car au bout d'un moment, elle m'observa enfin, un petit sourire sur le visage. Un sourire que je ne lui connaissais pas ; comme si, malgré son grand âge, elle pouvait encore innover en matière d'expressions.

« Ça va, maman ? demandai-je un peu inquiet.

— Oui, ça va. Ça va même très bien.

— Ah bon ?

— Je t'ai préparé un chocolat chaud.

— Mais maman… tu sais très bien que je bois du café.

— Ah oui, c'est vrai. Je suis bête ! Comment ai-je pu oublier ? C'est du café que boit mon fils. Bien sûr, voyons ! Il boit du café !

— … »

Elle s'est précipitée vers la cafetière pour me servir. J'ai aussitôt savouré une première gorgée (le café prenait toute sa dimension après l'alcool de la nuit). Puis elle a avancé la tête tout près de moi, vraiment très près, comme si elle voulait tremper ses cheveux dans ma tasse. Gêné, je me suis reculé. Elle est restée à distance, tout en continuant à m'observer d'un regard intense. Elle semblait savourer le moment autant que je savourais mon café. Son attitude devenait de plus en plus étrange.

« Maman, tu es sûre que ça va ?

— Oui, je te dis.

— Si tu m'en veux pour hier, je peux comprendre. Je suis vraiment désolé. Je vais aller m'excuser auprès de vos amis.

— Tu n'as pas à t'excuser.

— Ah bon ?

— Non, pourquoi le ferais-tu ?

— Ben... parce que... j'ai... un peu... enfin, je me suis énervé... pendant le dîner...

— Tu as dit ce que tu pensais. Et je crois que tu as eu raison.

— Ah bon ?

— Oui, tu as eu raison. Enfin, tu as été un peu excessif, c'est vrai. Tu n'aurais peut-être pas dû t'énerver de cette façon, mais sur le fond, tu as eu raison. Tu as dit ce que tu avais sur le cœur. Voilà, c'est tout. C'est comme ça. Parfois, le cœur explose et l'on ne peut rien y faire. Alors oui, tu as eu raison.

— ...

— On ne dit pas assez ce qu'on pense. On passe notre vie à se taire, à faire semblant.

— Oui... enfin... pas toujours...

— Mais si, toujours. J'ai tant de regrets, tant de choses que je n'ai pas exprimées...

— ...

— Tout va changer, maintenant. Je vais prendre des décisions. Et ça, c'est grâce à toi.

— ...

— Merci, mon fils. »

Je suis resté sans voix. Qu'avais-je donc fait ? J'avais créé un monstre de lucidité. Elle parlait d'une voix calme et froide. Après une vie passée à ne pas réfléchir aux fondements de l'existence, elle voulait tout remettre en question. Quatre-vingts ans, cela me semblait un peu tard pour annoncer : « Tout va changer maintenant. » On connaissait les crises d'adolescence, de la quarantaine, celles des quinquas aussi, mais quelle idée de tout vouloir chambouler à un tel âge. Sur le même ton tranquille, elle continua :

« Ton père était très contrarié pour hier soir, alors je l'ai envoyé faire des courses. Ça le calme toujours de partir au marché avec une liste. Mais quand il va revenir, je vais lui parler.

— Lui... parler ?

— Je vais lui dire que je le quitte. Ça suffit comme ça. Tu as absolument raison. Je n'en peux plus. Je ne le supporte plus. J'ai retenu trop de choses en moi depuis toutes ces années. Je me suis brimée. Je me suis oubliée...

— Mais maman, ce n'est pas possible. Tu entends ce que tu dis ? Tu ne vas pas quitter... papa ? Franchement ! Reviens à la réalité. Tu es devenue complètement folle.

— Alors toi, tu as le droit de faire n'importe quoi, mais pas moi ? Je ne suis pas folle. Au contraire ! Je crois que je n'ai jamais été aussi saine d'esprit que ce matin...

— ... »

À ce moment, on entendit la porte s'ouvrir. Le temps d'enlever ses chaussures et d'enfiler ses patins, mon père glissait vers nous. J'ai lancé plusieurs regards en direction de ma mère, complètement paniqué. Des yeux, je l'implorais de ne rien dire tout de suite, et de prendre le temps de la réflexion. Une fois arrivé dans la cuisine, avec le panier à provisions à la main, mon père m'a fusillé du regard :

« Ah tu es là... toi.

— ... »

Nous sommes restés un instant tous les trois dans une suspension temporelle. Il y avait un côté western, comme dans *Le Bon, la brute et le truand*. Il ne manquait plus qu'une petite mélodie à l'harmonica pour remplacer le silence pesant de la scène. Ma mère dégaina la première :

« Oui, il est là. Et toi aussi, tu es là. Ce n'est pas pour autant qu'on te fait une réflexion.

— Mais qu'est-ce qu'il t'arrive ? demanda mon père.

— Ce qu'il m'arrive ? Tu me demandes ce qu'il m'arrive ? Tu veux vraiment le savoir ?

— ... »

Il parut désarçonné par l'énervement subit de ma mère. Il n'était pas au bout de ses peines. J'avais voulu la freiner, lui conseiller de prendre son temps, mais il n'y avait rien à faire. Il fallait que ça sorte, tout de suite, y compris dans le chaos, comme pour moi la veille. Nos caractères n'étaient pas si éloignés finalement. On retenait, on retenait, jusqu'au moment où tout jaillissait. Il valait mieux que je file assez vite. Alors que je mettais mon manteau, mon père cria : « Mais ça ne va pas ! Tu es complètement folle ! » Il enchaîna quelques phrases que je ne pus distinguer, tout à ma précipitation d'échapper à la furie.

5

Je me suis assis sur un banc. Quand on traverse des difficultés, on imagine que les jours à venir seront meilleurs. Et puis, non. On découvre avec stupéfaction l'enchaînement sans fin des malédictions. Est-ce que le malheur appelle le malheur ? Après ma séparation, la perte de mon travail, le retour chez mes parents, voilà que j'étais à l'origine de leur divorce. Ce n'était plus possible. Je voulais bien avoir une mauvaise passe, mais il me semblait avoir déjà touché le fond et qu'un boulet me retenait à des centaines de mètres sous le niveau normal de l'échec.

J'ai passé une partie de la matinée à me juger responsable des catastrophes qui m'entouraient. Peut-être que je portais la poisse ? Il fallait me fuir tel un pestiféré. Le manque de sommeil accentuait mes idées noires, m'empêchait d'observer les derniers éléments de ma vie avec lucidité. Après tout, j'avais passé une nuit formidable. Et rencontré une femme exceptionnelle. Mais dans la logique des choses, il était fort probable que je ne la reverrais jamais, ou qu'elle se révélerait être une psychopathe, voire une tueuse en série, ou alors que nous mourrions dans un accident d'avion dès notre premier voyage ensemble. Si jamais le bonheur existait, je saurais encore une fois l'entacher de mon génie malfaisant.

Quelques heures plus tard, un peu sorti de mes idées noires, j'ai retrouvé Alice dans un café. En voyant mon bras plâtré, elle exprima spontanément une phrase qui pouvait être le slogan de ma vie actuelle : « Il ne te manquait plus que ça. » J'ai vite enchaîné deux trois répliques assez bien maîtrisées sur le fait que tout allait mieux, et que je reprenais espoir pour mon avenir professionnel. Il faut croire que j'étais doué pour jouer la partition de la fausse confiance en soi, car Alice m'encouragea :

« Tu as raison, papa, de penser comme ça.

— ...

— C'est important d'être positif. »

Ma fille voyait juste, je devais positiver. Elle me donnait des conseils de vie comme si elle était plus âgée que moi. Quant à ma mère, elle agissait telle une adolescente en crise. Franchement, il y avait une anarchie dans les générations. Sans compter l'ironie de certaines situations. Ma fille emménageait en couple (devenant ainsi indépendante), au moment où je retournais vivre chez mes parents (redevenant ainsi dépendant). La vie partait dans tous les sens.

En tout cas, Alice était plus en phase que moi avec le monde du travail. Nous nous étions donné rendez-vous pour rédiger ensemble mon CV. Selon elle, il fallait tout refaire.

« On n'arrive pas à comprendre quelles sont tes compétences, affirma-t-elle.

— Ah...

— Et d'ailleurs, quelles sont-elles ? Il faut qu'on mette en avant ce que tu sais faire mieux que les autres.

— Ah...

— Alors ?

— ...

— Rien ne te vient ?

— ...

— Tu es un bon gestionnaire, non ?

— Oui, enfin... je me retrouve sans argent à mon âge. On ne peut pas dire que...

— Les gens ne le savent pas. Et toi, tu dois l'oublier.

— C'est-à-dire ?

— Tu dois arrêter de penser à ta situation. Tu dois en inventer une autre. Tu dois penser que tu es le meilleur. Que tout le monde te veut. Tu dois dégager quelque chose de très positif...

— Ah, ça risque d'être difficile...

— Et tes passions ? Tu peux mettre tes passions, tes goûts, tes loisirs.

— Ah...

— Par exemple, tu aimes bien le tennis, non ?

— Oui... Enfin, je n'ai pas joué depuis dix ans.

— Alors quoi d'autre ? La guitare ? La musique ?

— Je ne joue plus depuis si longtemps. Et la musique... j'écoute surtout France Info. On peut mettre "France Info", dans les passions ?

— ... »

C'était terrible, je n'avais pas de passion, pas de hobby. Je n'allais quand même pas mettre *observation du CAC 40* comme passe-temps favori.

Cet exercice de se résumer, tout en se mettant en valeur, me parut très éprouvant. Faire son CV, c'est se positionner cruellement face à soi. On pouvait très vite se sentir minable. Il y aurait toujours des CV mieux rédigés, plus complets, plus excitants. Il y aurait toujours des candidats parlant le japonais, le russe et l'allemand. Et pourquoi pas le serbo-croate ? Il y aurait toujours des candidats spécialisés en cinéma suédois sans sous-titres ou en sculpture ottomane. J'essayais de paraître combatif et plein d'espoir devant ma fille, mais au fond de moi je n'y croyais pas. Ce que je venais de vivre m'avait fait perdre totalement confiance. Comment être fort quand on vient de vous rejeter ? Heureusement, Alice était divine d'enthousiasme. Elle était certaine que j'allais trouver un nouvel emploi. Elle disait que, dans la zone de turbulences que le monde traversait, on avait besoin de gens solides. La société allait revaloriser le savoir-faire, l'expérience. J'avais envie de la croire. Selon elle, j'étais le prototype du banquier à l'ancienne que les gens aimaient. On recherchait plus que jamais les rapports humains, les conseils personnalisés. Paradoxalement, si la crise avait rejeté tant de gens, elle les rendait à nouveau nécessaires, tant la période avait été brutale et déshumanisée. En d'autres termes, on avait besoin de nos Bernard.

Un peu gêné que l'on parle autant de moi (la relation parent-enfant ne me semble pas tout à fait naturelle dans ce sens-là), j'ai posé de nombreuses questions à Alice. Tout allait bien pour elle, et c'était l'essentiel. J'étais prêt à affronter les difficultés tant que la vie lui souriait. Bien plus tard, je comprendrais que ma fille tentait de maîtriser ses démons, seule, sans l'aide de personne. Autrement dit, délicate, elle ne m'offrait que la version épanouie d'elle-même. Comme pour ne pas m'inquiéter. Ni moi, ni sa mère. J'ouvrirais un jour les yeux pour voir que ma petite fille cachait des fêlures, et qu'elle était tout sauf inaccessible à la mélancolie. Ce jour-là, je serais redevenu un père.

6

Pendant le temps passé avec ma fille, j'avais reçu un message de Sylvie. Elle proposait de m'emmener « quelque part ». Après quelques échanges où je la questionnai sur notre destination, elle conclut ainsi :

« C'est une surprise. »

Depuis quand ne m'avait-on pas fait une surprise ? Un an, dix ans, mille ans ? Nous avons convenu d'un rendez-vous en fin d'après-midi. Évidemment, je voulais éviter de repasser chez mes parents. Après un saut à la poste pour envoyer mes CV et lettres de motivation, il me restait trois heures à tuer. Épuisé, je pouvais retourner à mon hôtel. J'étais certain que ma chère réceptionniste m'aurait offert une chambre le temps de faire une sieste. Mais peut-être y aurait-elle vu quelque chose de tendancieux ? Après tout, elle était si étrange. Il valait mieux oublier cette option. J'ai alors pensé aller au cinéma. Quelle bonne idée. Depuis quand n'y étais-je pas allé ? Un an, dix ans, mille ans ? Dans le Quartier latin de Paris, il y avait encore plein de petites salles où l'on pouvait voir des films d'auteur, des films qui attiraient peu de spectateurs, et qui étaient idéaux pour s'extraire du monde l'espace de deux heures. En arrivant devant un petit cinéma, j'ai constaté qu'il y avait une rétrospective d'un duo de réalisateurs polonais que je ne connaissais pas du tout. J'ai pris un ticket pour un film intitulé *L'Ascenseur ou l'Escalier*, et je me suis retrouvé seul dans la salle. Trop fatigué pour déchiffrer les sous-titres, je me suis laissé bercer par une langue inconnue. Et j'ai fini par fermer les yeux. Ces deux réalisateurs polonais avaient réalisé un film merveilleux pour dormir.

Je suis ressorti tout groggy, comme on peut l'être après douze heures de voyage en avion. Je ne marchais pas droit, et la ville fuyait sous mes pas. Il me fallut quelques minutes pour réintégrer ma position d'homme maîtrisant les éléments. En progressant vers mon rendez-vous, je pris enfin conscience d'une chose : Sylvie avait proposé très rapidement que nous nous revoyions. Après un premier rendez-vous, on prend son temps, on hésite. C'était en tout cas l'expérience que j'avais gardée de ma jeunesse, et de cette façon qui avait été la mienne de peser mille fois le pour et le contre avant d'entreprendre quoi que ce soit avec un échantillon du sexe opposé. Mais peut-être les choses avaient-elles changé ? Tout allait plus vite, maintenant. Les rencontres, les rendez-vous, et les séparations aussi. J'avais à peine admis la réalité de notre nuit improbable que j'allais à nouveau me retrouver face à cette femme. J'avais peur qu'elle ne découvre la vérité : j'étais un homme normal. Elle m'avait vu fou : criant, tombant, buvant. Le triptyque le moins représentatif de qui j'étais. Pour ne pas dire : le triptyque le plus mensonger de qui j'étais. Je ne crie quasiment jamais, je ne tombe que tous les vingt ou trente ans, et j'ai honte d'avouer que j'ai traversé la plupart de ma vie en toute sobriété. Elle allait forcément être déçue, ce qui me contrariait, car j'avais envie de lui plaire. J'avais envie de lui plaire, car elle me plaisait (l'essentiel est d'une simplicité désarmante). Elle me plaisait, et plus encore depuis qu'elle avait prononcé le mot : *surprise*. J'étais follement heureux qu'on puisse me faire une surprise. Alors, je collais le mot surprise sur son visage, pendant les rêveries de ma promenade, et le S de Sylvie devenait celui de Surprise. J'aimais l'idée que l'on puisse adosser à une personne un simple mot, un mot qui écarte le prénom pour représenter autre chose, de plus particulier et de plus intime. Elle était Surprise.

Je l'ai enfin retrouvée dans un café, comme si nous ne nous étions pas quittés. Aucune gêne, aucun temps mort, je n'en revenais pas d'une telle facilité. J'ai tenté de lui parler du film polonais, mais je n'avais rien vu ; alors j'ai vanté la qualité graphique du générique. Elle s'est mise à rire, ce qui m'a poussé à croire que je n'étais pas tant que ça dépourvu d'humour. Il y avait un créneau à développer dans le comique un peu dépressif, et désabusé. Je voyais déjà ce chemin qui serait parsemé de rires doux. De son côté, elle avait très bien dormi. Elle osa : « Depuis que je suis retournée vivre chez mes parents, je dors comme une adolescente. » Elle évoqua également la conversation qu'elle avait eue avec eux : elle avait été mon avocate. « Cela arrive à tout le monde de déraper un peu », avaient-ils admis gentiment. Quant à moi, j'ai préféré ne pas évoquer le chaos que j'avais laissé chez mes parents en partant. Aujourd'hui, il était préférable de survoler les sujets profonds, de demeurer dans l'indolore. Et puis, nous avions la destination surprise de Sylvie. L'endroit où nous devions aller se situait à quelques mètres du café. Elle ne voulait rien me dire, alors que j'insistais pour savoir. J'avais l'âme d'un banquier, un cartésien qui ne supporte pas de ne pas savoir où il va. Je disais aimer les surprises, mais elles m'effrayaient.

Nous avons pénétré dans un hall lugubre, puis traversé une cour plutôt sombre, pour nous retrouver dans une grande salle qui devait être un gymnase désaffecté. La pièce survivait grâce à un éclairage en fin de vie[15]. À cause de la pénombre, je n'ai pas perçu immédiatement le regroupement de personnes assises en cercle au fond de la salle. Au fur et à mesure de notre avancée, je pus distinguer ce qui se tramait. Sylvie en profita pour m'expliquer :

« C'est une réunion... un peu comme celles des Alcooliques anonymes.

— Ah...

15. Des ampoules rêvant d'euthanasie.

— Sauf que tous ces gens ne sont pas alcooliques...

— ...

— Ils sont comme nous. Ils ont tous une cinquantaine d'années, et sont retournés vivre chez leurs parents.

— ... »

Je n'ai pas eu le temps de commenter ce que je venais d'entendre. L'animateur s'est adressé à nous :

« Nous avons le plaisir d'accueillir deux nouveaux membres : Bernard et Sylvie. Nous leur disons bonjour...

— Bonjour Bernard et Sylvie, dirent alors à l'unisson la dizaine de convives.

— Bonjour... balbutiai-je, complètement effrayé par cette ambiance "secte".

— Asseyez-vous, je vous prie », indiqua le gourou.

Il valait mieux obtempérer. J'étais là, assis au milieu d'hommes et de femmes qui vivaient la même situation que moi. Quoi que nous fassions dans la vie, y compris dans nos dérives les plus folles, il y avait donc toujours un cercle pour nous intégrer. Ce n'était pas si étonnant, finalement. J'avais lu dans la presse que ma situation était de plus en plus fréquente. Le problème principal étant de retrouver un logement, surtout avec les prix exorbitants de l'immobilier. Même dans ma chute, j'étais assez commun finalement. Chacun évoquait son histoire. J'écoutais les aventures de ces inconnus, et je m'y reconnaissais. Je n'arrivais pas à savoir si je trouvais ces récits réconfortants ou pathétiques. Sûrement un peu des deux. L'animateur voulut que je prenne la parole, mais c'était au-dessus de mes forces. Avec un air compatissant, il fit mine de comprendre : « Ce n'est pas facile, la première fois... » Mais cela n'avait rien à voir. Je n'avais pas envie de partager ce que je vivais avec tous ces gens, qui, tout bien considéré, avaient l'air nettement plus mal en point que moi. Et je dois avouer avec honte que cela me faisait du bien. Ces réunions sont organisées, certes pour encourager la solidarité, mais aussi pour permettre de se rendre compte que sa situation n'est pas la plus désespérée. Avec Sylvie, on se lançait des petits regards, réprimant des fous rires en écoutant les malheurs de chacun. Nous étions monstrueux. C'est peut-être comme ça qu'on s'unit véritablement, en riant des autres.

*

J'ai particulièrement aimé le récit d'un homme :

« J'ai honte… mais je dois l'avouer : j'ai tout fait pour retourner chez mes parents. Depuis que j'ai débuté dans la vie active… la vie d'adulte… c'est l'horreur… Alors j'ai fait exprès de tout rater, pour me retrouver en situation de retourner chez eux.

— Oh… fit l'assemblée.

— Oui, je sais. Ce n'est pas bien. Mais avouez-le ! On est tellement bien chez papa et maman… »

Certains baissèrent la tête, comme s'il s'agissait également de leur vérité.

*

Une fois dehors, nous sommes restés un long moment dans la rue, à refaire les discours de chacun. Ce que je venais de vivre m'avait paru irréel. On aurait dit le dérapage absurde d'une histoire réaliste. Sylvie m'expliqua qu'une de ses amies lui avait parlé de ces réunions, et elle y était allée une fois. Comme ça, juste pour voir. Elle avait pensé me faire rire en m'y emmenant. Mais au fond, cela m'avait angoissé. J'avais eu peur d'être aspiré par cette armée souffrante. Les participants avaient été adorables avec moi. Certains m'avaient gratifié d'une petite tape amicale dans le dos, ou d'un pincement au bras. Mais, après m'avoir fait sourire, cette solidarité du désespoir m'avait glacé. Sylvie riait encore, mais je ne pouvais plus la suivre dans ce rire. À mon âge, je n'avais pas assez d'expérience en matière humaine pour savoir ce qui se cache derrière la légèreté. Et surtout la légèreté revendiquée, presque grossière. Elle riait, mais ressentait la même chose que moi. J'aimais tellement ses tentatives de nous faire fuir notre condition. Le soir, une fois seule devant son miroir, fatiguée et apeurée, sans doute passait-elle sa main sur sa poitrine pour constater encore la brûlure de son cœur. Son mari était parti, mais il fallait sourire pour résister à la chute. Elle avait tellement raison. Alors je la suivais maintenant. Je la suivais dans un rire qui se superposait à ma peur. Je ne savais plus que penser. Mes sensations alternaient sans cesse en moi, comme si j'avais bu une potion de cyclothymie. Des montagnes russes parcouraient mon esprit. Tout se mélangeait. Le bonheur et la frayeur du bonheur. La liberté et l'enfermement. L'assurance et la peur. Le passé et l'avenir. Tout et le contraire de tout.

Vient un moment où la seule vérité valable s'avance vers nous pour nous délivrer de l'incertitude. La vérité du corps. Sylvie s'est approchée de moi et nous nous sommes embrassés. Aujourd'hui encore, quand je repense à ce moment, il possède la même force hallucinante d'évocation ; le goût de ses lèvres est encore sur les miennes, comme si certains moments avaient le pouvoir de transformer le présent en une donnée stable et valide pour toujours. Au bout d'un moment, Sylvie a collé sa bouche à mon oreille gauche pour souffler doucement : « Vous habitez chez vos parents ? »

7

De retour chez eux, alors que je m'apprêtais à affronter une sorte de Bagdad familial, quelle ne fut pas ma surprise de débarquer à Genève. Mon père et ma mère étaient gentiment assis dans le salon. Main dans la main, un sourire béat inondant leurs visages, ils étaient silencieux. Un détail majeur soulignait le bouleversement historique du moment : la télévision n'était pas allumée. Je les avais quittés en instance de divorce, et voilà qu'ils paraissaient heureux comme au premier jour. La raison avait-elle rattrapé ma mère à temps ? Figé de surprise, moi non plus je n'arrivais pas à parler. Je ne les reconnaissais pas. Ma mère semblait apaisée, et je me rendais compte maintenant que je ne l'avais connue que le regard triste ; quant à mon père, il n'était plus cette boule de nerfs perfusée à l'agressivité. Et leurs mains. Leurs mains unies. Cette image avait été si rare. J'avais souvent comparé mes parents à deux droites parallèles, vivant pour l'éternité à une distance raisonnable l'une de l'autre, sans jamais se toucher. Je ne sais pas pourquoi mais, à cet instant, j'ai pensé : « Ils veulent me virer. » Leur union, c'était pour être plus forts face à moi. Ce qui était ridicule. Qui pouvait penser que j'allais résister ? Si on ne voulait plus de moi, alors j'irais dormir sous un pont, sans faire d'histoires. Ils n'avaient pas besoin de se tenir la main pour me lâcher. Leur attitude, c'était forcément ça. Ma mère avait annoncé son désir de partir, et mon père avait dû lui dire : « C'est normal que tu craques avec les soucis que Bernard nous fait subir ! » Il avait su la réconforter, lui faire admettre que c'était moi le problème, moi et pas autre chose. Ce n'était pas un divorce qu'elle voulait, voyons pas un divorce, mais se séparer de son fils. C'était aussi pour cela qu'ils ne parlaient pas. J'avais compris. Ce n'était pas la peine de mettre des mots sur leur décision. Je devais partir.

Ce monologue intérieur, et mon anticipation de nuit sous un pont, furent alors subitement stoppés par la voix de ma mère :

« Ton père m'a dit qu'il m'aimait.

— ...

— Oui… Quand je lui ai parlé de divorce, il a dit que ce n'était pas possible. Il a dit qu'il m'aimait, et que je ne pouvais pas le quitter. Tu entends Bernard ? Ton père m'a dit qu'il m'aimait.

— Oui, je t'aime… a-t-il alors répété.

— Depuis si longtemps, il ne m'avait rien dit…

— Oui, je ne parle pas assez… je ne sais pas pourquoi…

— C'est pas grave, mon chéri…

— … »

Mes parents s'embrassèrent alors sur la bouche. J'ai fermé les yeux, juste pour les ouvrir à nouveau. Je voulais être certain de ne pas rêver. Je ne pouvais rien dire, rien faire. Mon père m'a adressé un signe de la main. Ils voulaient que je les rejoigne dans leur découverte de la tendresse. Je me suis approché, doucement, pour poser ma tête entre eux. Nous avons alors fait ce qu'on appelle *un câlin*. Oui, c'est ça. Mes parents et moi, on se câlinait. Au bout d'un moment, mon père grogna tout de même : « Bon, ça va aller, là… » Il ne fallait pas non plus en rajouter. Il sentait bien que j'étais à deux doigts de pleurer. J'avais tant manqué de leur chaleur. Je crois bien que j'avais attendu toute ma vie ces quelques secondes. Cela pouvait paraître absurde. J'étais un homme dans la force de l'âge, un père de famille, et peut-être bientôt un grand-père ; mais au fond, j'étais encore cet enfant qui avait manqué d'amour. Et ma rage de toujours disparaissait à la moindre démonstration affective de mes parents.

Je comprenais maintenant qu'il ne faut pas forcément poser des mots sur les émotions pour qu'elles existent. Certains sentiments sont des souterrains, et on ne peut rien prononcer dans cette pénombre du cœur. L'absence de quelque chose, ça ne veut pas dire que ça n'existe pas. Pourtant, dès le lendemain, gênés par ce qui s'était passé, mes parents reprendraient leurs distances. Ils retourneraient à leurs vies de droites parallèles. Mais cet instant avait existé, et c'était l'essentiel. Une brèche dans la sécheresse avait eu lieu. Mon explosion avait eu des conséquences. Avec Nathalie aussi, peut-être que j'aurais dû crier ? Crier mon amour, et ma souffrance. Ma vie entière aurait été différente si j'avais su réagir à ce qui me blessait. Mais non. Ce n'était pas moi. Et, moi aussi, j'allais retourner à ma véritable nature. Le cri n'était pas ma vocation. On ne quitte pas comme ça une vie passée sur des patins.

8

Les jours suivants, je fus surpris de recevoir des réponses à mes CV. Certes, il s'agissait pour la plupart de retours négatifs, avec des lettres types où l'on vantait la qualité de mon parcours mais malheureusement *aucun poste n'était à pourvoir*. J'étais déjà heureux de constater que le résumé de ma vie professionnelle ne finissait pas immédiatement à la poubelle, ou englouti au cœur de paperasses inutiles. Au moins quelqu'un l'avait lu. Peu importait qui. Un DRH, un adjoint, un CDD, ou même un stagiaire. Dans le meilleur des cas, on me convoquait pour une rencontre préliminaire à un éventuel entretien. Je venais d'une autre galaxie : celle des années 1980. D'une époque où l'on trouvait du travail plus facilement. Je n'avais jamais été dans cette position, celle de chercher, celle de me vendre, celle de quémander. Je ne savais pas comment m'y prendre. C'était finalement assez paradoxal : je n'avais pas été assez au chômage pour savoir comment on retrouve un emploi. Néanmoins, je compris les codes assez vite. « On vous rappelle très vite » veut dire qu'on ne vous rappellera jamais. C'est étonnant de constater à quel point les recruteurs disent quasiment toujours le contraire du fond de leur pensée. Ainsi, « votre CV est très intéressant » est l'expression polie d'un désintérêt total pour votre parcours.

Dans cette lutte un peu vaine, je possédais un atout : je ne me sentais pas désespéré au point de tout faire pour obtenir un travail. Les recruteurs aimaient cela. Parfois, il fallait presque être désinvolte ; ne pas leur montrer que votre vie dépendait de l'entretien. Mais je ne jouais pas. C'était étrange. Ma situation était plus que délicate, et j'ai pourtant enchaîné quelques rendez-vous sans le moindre stress. Étais-je devenu fou ? Non. Simplement lucide. Je n'y croyais pas. Je jouais le jeu du quinqua motivé pour retrouver un emploi, mais je savais que ça n'était qu'une mascarade. On m'avait écarté brutalement, et il n'y avait aucune raison pour qu'on me reprenne. De toute façon, il y avait toujours un problème. En général, on me disait que j'avais trop d'expérience. Phrase fabuleuse. Comment peut-on avoir *trop d'expérience* ? Si jamais ils le désiraient, je pouvais toujours m'ôter de l'expérience, pensais-je. Il était plus facile de désapprendre que d'apprendre. Voilà où menait l'entonnoir dans lequel nous sommes. La situation est catastrophique, alors on invoque des motifs fous. Ou disons des motifs pudiques. « Trop d'expérience » signifie « vous êtes vieux » ; sachant que « vieux » se traduit par « mort » dans la vie professionnelle.

Évidemment, le contexte n'aidait pas. La crise financière ne faisait que s'aggraver. Des pays entiers faisaient faillite. La version économique d'une guerre mondiale. L'argent fuyait en courant. Il se cachait dans des paradis pour y couler des jours tranquilles. On entendait de plus en plus souvent qu'il fallait se méfier des banques, qu'elles pouvaient exploser. Valait-il mieux placer ses économies ailleurs ? Mais où ? Sous son matelas ? Et mon métier, alors ? D'ailleurs, je tombais sur des publicités à la télévision dont le slogan était : « Mon banquier, c'est moi. » Bien sûr, les banques qui payaient ce genre de spots avaient des employés, des gestionnaires, mais leur refrain avait fini par me marquer. Je le prenais personnellement. J'étais inutile à notre époque. Je faisais croire à mes parents, et à ma fille aussi, qui m'avait tant aidé pour rédiger mon CV (c'était à l'évidence grâce à elle que j'avais obtenu quelques entretiens), que j'avais bon espoir de retrouver du travail. J'avais des pistes, c'était très positif. Voilà ce que je disais. Jamais ma vie n'avait été dans une telle impasse, et pourtant je souriais tout le temps, dans l'espoir de rassurer tout le monde. J'étais la politesse du désespoir professionnel, mais il n'y avait rien de drôle.

Je ne disais rien non plus de mon bonheur. Enfin, c'est sûrement un mot excessif. Je ne devrais pas dire « bonheur », mais il manque un terme qui évoque le simple fait d'être bien. On pourrait dire *bienheur*. C'était exactement ça. J'étais bien. Quand je voyais Sylvie, j'étais bien. Et on se voyait souvent. On faisait des promenades, on allait voir des expositions ou des films. On se tenait la main, on s'embrassait. C'était comme un premier amour, ou disons : un amour d'adolescents. Autrement dit, nous ne couchions pas ensemble. C'était assez étonnant, mais j'aimais ça. En nous abstenant de cette manière, nous rendions sérieux ce qui nous arrivait. Enfin, c'est ainsi que j'interprétais les choses. Mais peut-être me mentais-je. Peut-être que j'avais de plus en plus envie d'elle, mais que je respectais son choix. Je m'associais à son souhait, le faisant mien, allant jusqu'à oublier que je cachais mon propre désir quelque part en moi. J'étais déjà si heureux de l'éprouver, ce désir, que je n'avais presque pas besoin de l'assouvir. Être près d'elle, cela suffisait pour le moment à me rendre heureux. Si mon sentiment pour elle progressait, c'est aussi parce qu'il diminuait pour Nathalie. Mon cœur reposait sur un système de vases communicants, d'une manière finalement plutôt rationnelle. J'aimais comme les banquiers doivent aimer. Plus je me sentais bien avec Sylvie, plus je prenais conscience que je n'avais plus partagé grand-chose depuis des années avec Nathalie. J'attendais avec excitation un rendez-vous pour une simple promenade, et je me sentais léger d'une journée remplie par le rien ; alors qu'avant je planifiais chacun de mes gestes, pour ne ressentir en définitive que l'écho d'une passion lasse.

Sylvie m'avait présenté certains de ses amis. Elle était très populaire. Les gens l'aimaient vraiment. Et je pouvais le comprendre. Elle écoutait d'une manière si attentive. C'était flagrant, dans sa façon de me regarder droit dans les yeux quand je parlais. Elle ne jugeait jamais, tentait de trouver les mots justes. Ce que nous vivions d'une manière quasiment similaire nous rapprochait bien sûr. Je lui parlais de ma femme, de nos derniers mois, et de la façon dont j'avais fermé les yeux sur l'évidence. Elle parlait de son mari, mais plus par réciprocité de la confidence que par désir, me semblait-il. Elle était du genre à cicatriser par le silence. En tout cas, chaque fois qu'elle l'évoquait, c'était avec une bonne dose d'agressivité. Parfois, il lui téléphonait pour la voir, ou simplement avoir des nouvelles, et elle le rejetait violemment. Elle voulait faire table rase du passé.

En dehors de cela, elle était toujours joyeuse. Et très excitée à l'idée de son projet de reprise de la quincaillerie familiale. Elle n'avait pas vraiment le choix, pourtant j'avais été surpris qu'elle cède à la pression de ses parents. Sylvie avait simplement admis qu'elle n'avait aucune autre possibilité. Elle ne travaillait pas, et il était peu probable qu'elle retrouve un emploi dans son secteur. Elle n'avait plus d'argent. Et ses parents tenaient à conserver la boutique. Enfin, et ça j'étais bien placé pour la comprendre, elle n'en pouvait plus de vivre chez eux. Son père lui avait dit : « Si tu reprends le magasin, tu pourras aménager le premier étage et en faire un appartement… » En retournant voir le lieu dans cette nouvelle optique, elle s'était rendu compte qu'elle pouvait effectivement transformer l'espace en une sorte de loft agréable à vivre. Sans que cela ne demande d'investissement trop conséquent. Ainsi, le destin la poussait de plus en plus à accepter ce qu'elle avait toujours refusé. Quand elle travaillait dans le secteur du disque, l'idée lui paraissait tellement absurde. Elle riait avec ses collègues en évoquant l'insistance de ses parents : « Vous m'imaginez ? Moi ? Vendre des clous ?! » Tout le monde s'esclaffait. Et ça la gênait finalement. Car elle pensait à ses parents, qui auraient très mal pris de la voir ainsi se moquer de leur désir le plus cher. Cette option folle était leur rêve. Une vie ne pouvait être accomplie sans transmission de l'entreprise familiale. Tant de fois, elle avait crié : « Mais je m'en fous de vos clous ! Arrêtez ! Arrêtez de m'en parler ! » Elle sentait qu'elle leur faisait du mal. Alors voilà, après quantité de péripéties, parmi lesquelles un licenciement et un divorce, elle vint s'asseoir près de ses parents pour leur dire :

« Papa, maman… j'ai décidé de reprendre la quincaillerie.

— …

— …

— Ça va ? Vous allez bien ? » s'était-elle inquiétée devant leurs visages livides.

Non, ça n'allait pas. Son père eut une sorte de malaise. « Lève le bras ! Lève le bras ! Respire par le nez ! Souffle, souffle !... Souffle plus fort ! » l'encouragea sa femme.

Au bout d'un moment, le père reprit ses esprits et regarda sa femme avec beaucoup d'émotion. Et une pointe d'étonnement aussi. Depuis longtemps, ils avaient cessé d'y croire. Après quelques verres d'eau, Sylvie entama une discussion avec son père pour préciser ses projets :

« Par contre... je voudrais poser quelques conditions...

— Je t'écoute...

— Je ne me sens pas à l'aise avec l'idée de la quincaillerie.

— Il est hors de question qu'on change. Ça restera une quincaillerie. C'est comme ça et pas autrement.

— Je sais, papa. Pas de problème, ça restera une quincaillerie. Mais on peut évoluer... n'est-ce pas ? Regarde la Fnac. Avant ils vendaient des disques et des livres, et maintenant ils proposent aussi des aspirateurs...

— Et alors ? Pourquoi tu me dis ça ? Ne me dis pas que tu veux vendre des disques dans ma quincaillerie !?

— Non... non, pas des disques.

— Alors quoi ?

— Rien d'incohérent. J'ai juste envie que ce soit un peu plus moderne. Un peu plus... ludique.

— Bon, explique-toi !

— J'ai pensé... et dis-toi que c'est uniquement dans un but commercial... pour que le magasin marche mieux... J'ai pensé...

— Tu as pensé à quoi ? Tu me le dis à la fin ?

— J'ai pensé qu'on pourrait faire un coin sex-toys...

— Un coin quoi ?

— Un coin dédié aux objets... sexuels.

— Mais tu es folle ! Dans une quincaillerie !

— Calme-toi papa. Tu auras le temps d'y réfléchir. Mais je te dis que c'est l'avenir. On n'a jamais autant vendu de sex-toys. C'est vraiment à la mode. Et puis, on peut aller plus loin. Franchement, avec tous les clous qu'on a, on pourra même faire un coin sado-maso. C'est très cohérent, tout ça.

— ... »

Son père eut à nouveau une sorte de malaise. Sa femme recommença : « Lève le bras ! Lève le bras ! Respire par le nez ! Souffle, souffle !... Souffle plus fort ! » Et il lui fallut à nouveau quelques minutes pour reprendre ses esprits. Tout cela était beaucoup d'émotion. Sa femme tenta de le rassurer et, au grand étonnement de Sylvie, fut même un soutien fondamental : « Mais c'est formidable cette histoire de sado-maso ! » disait-elle. Le père, devant un tel enthousiasme, admit progressivement que ce n'était peut-être pas une mauvaise idée. Il fallait vivre avec son temps. Après tout, les jeunes se mettaient des clous sur la langue, et même ailleurs semblait-il. On pourrait les attirer à la quincaillerie, ce n'était pas rien. Sylvie lui présenta son « business plan ». Elle avait tout préparé minutieusement. Sa décision était parfaitement mûrie. Il paraissait évident que le chiffre d'affaires serait nettement accru en cas d'adjonction d'un rayon érotique. Pour achever de convaincre son père, elle l'avait pris par les sentiments : « Je suis certaine que dans six mois, vous pourrez vous acheter votre maison vers Biarritz... » C'était l'endroit où ils rêvaient de passer leurs dernières années. Il demeura un instant dans le rêve de cette possibilité, avant d'être lentement happé par le bruit des vagues. Cela semblait tout proche.

9

Jamais auparavant Sylvie n'avait considéré son héritage comme un terrain de créativité. Elle n'en revenait pas d'une telle révélation. Ce qu'elle faisait était cent fois plus artistique que tout ce qu'elle avait pu accomplir dans la musique. À vrai dire, elle avait eu le déclic en regardant une émission de télévision, dont le but était de changer le décor de l'appartement d'un candidat, ou quelque chose d'approchant. Elle avait subitement compris que rien n'était figé. On pouvait toujours tout réinventer. Je la retrouvais le soir, et elle me montrait son cahier, où s'allongeait la liste de ses idées. Elle me demandait ce que j'en pensais. Elle voulait que le lieu soit ludique. En plus du coin érotique, à l'abri des regards, elle voulait par exemple créer des ateliers bricolage pour les enfants. Son inspiration faisait le grand écart. Tout se mettait en place. C'est alors qu'elle me proposa de la rejoindre dans l'aventure : « Bernard, j'ai besoin de toi. Tu vas t'occuper de toutes les commandes, de la comptabilité... » Je dois avouer que ce que j'allais faire dans cette quincaillerie m'importait moins que la seule raison de travailler. Et avec Sylvie en plus. Depuis que je la connaissais, toute ma vie changeait, soumise à des variations incessantes et surprenantes. Elle me pressait de répondre, d'accepter. Je finis par lui dire que c'était l'ambition inavouée de ma vie : « J'ai toujours rêvé de travailler parmi les clous... » Nous fêtâmes la nouvelle au champagne, beaucoup de champagne, encore du champagne.

C'est cette nuit-là que nous fîmes l'amour pour la première fois. Cela dura longtemps, comme une envie paradoxale de prolonger l'attente dans le passage à l'acte même. C'était très doux, avec des moments subits de tension, et presque de rage. J'avais l'impression de me perdre dans la découverte du corps de Sylvie. Le lendemain matin, au réveil, nous sommes restés enlacés longuement sans parler. Étrangement, ce premier jour où je me réveillai près de Sylvie était aussi celui où je devais revoir Nathalie. Cela faisait plusieurs semaines que nous ne nous étions pas vus et je n'arrivais pas à savoir si elle m'avait manqué ou si j'avais été surpris de survivre sans elle. Sûrement un peu des deux. En tout cas, en la voyant arriver dans le restaurant où nous avions rendez-vous, j'admis qu'il m'était encore impossible de dire : « Je ne l'aime plus. » Je ne savais pas quelle était la taille exacte de mon amour. C'était comme un nuage indécis qui se promenait encore dans mon corps.

Elle s'assit face à moi, sans me faire la bise mais avec un grand sourire. Elle était resplendissante, ce que je considérais comme une injure à sa vie avec moi. J'étais une machine à ne pas épanouir ma femme, pensai-je injustement, oubliant les années folles de nos débuts. Par ricochet, je pouvais lire sur son visage l'histoire qu'elle vivait, et qui la rendait si belle. Au moment où je voulus y faire allusion, elle me dit :

« Bernard, ça va ? Tu as l'air cadavérique.

— Merci.

— Je suis sérieuse.

— Je vais bien. C'est juste que j'ai bu hier, c'est tout.

— Tu bois ?

— Oui. Enfin non. C'était juste hier. Pour fêter quelque chose.

— La quincaillerie ? C'est ça ?

— Je vois que les nouvelles vont vite. C'est Alice qui te l'a dit ?

— Oui. Heureusement qu'elle m'informe, car on ne peut pas dire que... toi... Enfin, c'est triste de ne plus se parler, non ?

— Je suis d'accord... » ai-je articulé sans grande conviction.

En étais-je sûr ? Avais-je vraiment envie de partager avec elle ce que je vivais ? Notre histoire était finie. Elle en avait décidé ainsi. Je réfléchissais aux mots que je lui adressais, plus rien n'était naturel entre nous. Je me demandais comment on pouvait passer si brutalement d'une vie commune de trente ans à une sorte de gêne dans l'échange. Nous n'étions peut-être plus les mêmes personnes.

« Tu ne changeras jamais, Bernard.

— ...

— Travailler dans une quincaillerie. Il n'y a qu'à toi que ça arrive ! reprit-elle en riant.

— Sûrement... si tu le dis.

— Tu me manques » souffla-t-elle subitement.

Sur le moment, je ne sus que dire. Comment interpréter cette déclaration ? Alors qu'elle était resplendissante, ces mots m'avaient plongé dans le doute : voulait-elle reprendre notre vie commune ? Non, bien sûr que non. Je lui manquais comme un ami peut manquer. Comme le passé manque. Ce n'était pas un manque amoureux. Elle conservait une forme de tendresse à mon égard, mais je voyais bien qu'elle était loin. Très loin dans son autre histoire. Je n'avais pas besoin de plus de mots pour comprendre. Je commençais à douter de ce qu'elle m'avait dit la dernière fois. L'homme qui partageait sa vie était présent depuis un moment, je le sentais maintenant. C'est étrange, mais on peut éprouver à rebours une certaine lucidité par rapport au passé. J'avais été idiot de croire à un éloignement, une routine. Elle avait eu profondément envie d'autre chose. Je la sentais si loin aujourd'hui. Si loin malgré ses sourires, ses mots tendres. Elle voulait me voir pour savoir comment j'allais, pour que je la délivre de la culpabilité qu'elle éprouvait. Après tout, ma vie depuis notre séparation n'avait été qu'un désastre. Elle avait souri en m'imaginant dans une quincaillerie, moi, Bernard, dans une quincaillerie, sacré Bernard, quel personnage, ah ah, mais au fond elle devait se sentir mal. Elle ne savait pas tout.

Elle ne savait pas la vérité. Mais je n'avais pas envie de parler ce que j'éprouvais de mon côté. Ma femme voulait officialiser encore davantage la fin de notre histoire. Pourtant, il n'y avait rien de concret. Ni divorce, ni papiers. Rien. Son sourire suffisait. Son sourire, et ses chaussures. Son sourire, et ses cheveux. Son sourire, et son parfum. Son sourire, et son silence maintenant.

Pourquoi éprouvais-je ce malaise face à l'affichage pourtant discret de son bonheur ? Elle n'évoquait aucun détail de sa nouvelle vie. Je ne savais pas leurs week-ends à Berlin, à Madrid, à Venise. Je ne savais rien de ce que ressentait réellement Nathalie. Elle avait crié qu'elle voulait qu'on lui fasse l'amour, et je comprenais cela, bien sûr, mais il me semble qu'elle avait surtout voulu vivre ce qu'elle vivait maintenant. C'est-à-dire : une passion. Elle avait traversé nos dernières années avec la peur au ventre que cela n'arrive plus. Je le comprenais maintenant. C'était tellement visible sur son visage. Elle avait tant et tant attendu cela. Elle en avait rêvé. Les années passaient, et ses chances de pouvoir vivre une nouvelle histoire d'amour s'amenuisaient. Elle avait eu peur de ne plus sentir son cœur battre. De ne plus être désirée comme elle l'était maintenant. La vie féminine s'accélérait sûrement à notre âge, alors que la vie masculine n'est pas soumise à la même urgence du désir. On se dit, sûrement à tort, qu'il nous reste encore un peu temps avant de devoir renoncer à la jouissance.

Elle m'offrait sa tendresse, et je n'étais pas sûr de la vouloir. Si mes sentiments pour Sylvie devenaient de plus en plus clairs, je ne me sentais pas encore prêt à considérer que tout était fini avec Nathalie. J'étais dans cette zone de transition du cœur qu'on appelle souvent la confusion. Il faut marcher un peu dans le coton, et l'incertitude, et puis un jour tout s'éclaircit. Peut-être que le moment que je vivais maintenant m'aidait à avancer ? La certitude de Nathalie me prenait la main. Et je la suivais, loin de nous. Elle essayait de détendre l'atmosphère, adorable comme toujours ; et moi je souriais. J'étais heureux pour elle, finalement. Sincèrement. Je voulus lui dire que rien n'était de sa faute, et qu'elle méritait d'être aimée, car je n'avais pas su le faire. Mais je suis resté silencieux. Jusqu'au moment où j'ai finalement avoué : « Moi aussi, j'ai rencontré quelqu'un. »

10

Pour mes débuts à la quincaillerie, Alice voulut être ma première cliente. J'ai quitté mon bureau, situé au fond du magasin, pour la guider à travers les rayons. Elle avait besoin de choses et d'autres pour son nouvel appartement (cela ressemblait à un prétexte). Elle emménageait avec son copain, continuant sa marche inexorable vers l'âge adulte. De mon côté, je dormais encore chez mes parents, même si j'avais découché plusieurs fois pour rester près de Sylvie. Nous dormions au premier étage du magasin ; j'adorais la façon dont elle avait transformé le lieu, faisant d'un espace sans âme un cocon douillet. Seul écueil à mes nuits là-bas, les interrogations de ma mère : « Tu as dormi où ? » Hors de question de lui dire quoi que ce soit. J'avais passé l'âge de rendre des comptes. Je rêvais de retrouver ma liberté.

De toute façon, j'allais moins les voir. Les premiers temps furent épuisants. Je n'avais jamais autant travaillé. Chaque soir, on comptait ce qu'il y avait dans la caisse comme des épiciers. Très vite, on se dit qu'il fallait embaucher un vendeur ou une vendeuse. Le père de Sylvie manqua défaillir (à nouveau) en voyant nos résultats. Assez vite, on décida d'ailleurs de les minorer pour ne pas le vexer. Le coin sex-toys fit son effet, et nous permit de rajeunir la clientèle ; une idée fabuleuse. Je jetais un œil parfois vers ces couples que je jugeais un peu libertins, moi qui n'avais pas brillé par mon inventivité érotique. Enfin, il nous arriva de tester certains articles, mais uniquement par souci professionnel. On ne pouvait pas vendre sans connaître, bien sûr.

Les jours passèrent, et l'euphorie du début se calma. Les résultats ne cessaient de progresser, mais je sentais comme une étrange lassitude chez Sylvie. C'était peut-être le contrecoup de toute l'énergie déployée depuis des mois ? Je ne savais que faire. Elle me disait que tout allait bien, mais je la sentais fragile, ou épuisée. J'avais le sentiment parfois qu'elle regrettait tout ce qu'elle avait fait, et que nous nous étions illusionnés à propos d'une situation absurde : on s'occupait d'une quincaillerie. Je lui disais que rien n'était définitif, qu'elle pourrait la revendre plus tard. « C'est quand plus tard ? demandait-elle. Quand mes parents seront morts... » « Mais non... » tentais-je. En ajoutant pour essayer de la faire sourire : « Tu sais bien que tes parents ne sont pas du genre à mourir... » C'était la seule réplique qui m'était venue, sûrement pas la meilleure, mais elle avait eu le mérite de lui décrocher un léger rictus.

« Je crois surtout que tu as besoin de repos. On devrait fermer quelques jours, et partir en week-end.

— ...

— Tu rêvais d'aller à Berlin, non ? Ou en Espagne. Ça nous fera du bien, un peu de soleil.

— ... Oui, Bernard. Tu as raison.

— Je vais organiser tout ça... on va boire des sangrias ! » dis-je avec une bonne humeur surjouée.

Sylvie passa une main sur ma joue avec un grand sourire. « Tu es gentil », soupira-t-elle.

Cette même nuit, elle me réveilla en plein sommeil. Ce fut très rapide. Depuis quelques jours, je ne dormais pas profondément. J'avais plutôt l'impression de rester allongé à la surface de moi-même.

« Que se passe-t-il ?

— ...

— Quoi ? Qu'est-ce que tu as ? Dis-moi...

— Bernard...

— Oui ?

— Il faut que je te parle... »

C'était la phrase la moins rassurante qui soit. Et son côté angoissant était décuplé par le contexte. Prononcée en pleine nuit, interrompant même le sommeil, je ne pouvais pas m'attendre à une révélation joyeuse. J'aurais voulu faire marche arrière, retourner vers le rêve que je ne faisais pas ; retourner où j'étais, à l'abri des mots que Sylvie allait prononcer.

« J'ai accepté de le revoir... commença-t-elle.

— Ton mari ?

— Oui, mon mari.

— Depuis quand ?

— Cela fait quelques jours. Il dit qu'il regrette tellement, qu'il a fait la plus grande erreur de sa vie...

— ...

— Il veut tout faire pour qu'on retrouve notre vie d'avant... »

Je comprenais mieux le désarroi qui rongeait Sylvie. Au moment où elle entamait une histoire avec moi, son mari tentait un retour en force à coups de *mea culpa* larmoyants. Elle n'avait pas voulu m'en parler. Mais j'allais bientôt reconstituer les morceaux de ce puzzle dont je n'allais plus faire partie.

Après quelques mois d'une idylle surtout érotique, soumis à des obligations financières permanentes pour épanouir sa nouvelle fiancée, épuisé aussi par la bêtise phénoménale de celle-ci, son mari ne put faire autrement que de constater l'impasse dans laquelle il avait propulsé sa vie. Tout ce qu'il partageait avec Sylvie, et dont il n'avait plus été capable de saisir la force ou la beauté, lui apparaissait à nouveau merveilleux. Comment avait-il pu être aussi stupide et blesser ainsi la femme de sa vie ? Elle lui manquait de plus en plus, disait-il. En la quittant, il se rendait compte qu'il ne pouvait pas se passer d'elle. Alors il revint, pathétique et tremblant, la sincérité au cœur, le regret greffé dans chaque parole, et Sylvie commença à admettre que toute la haine qu'elle avait éprouvée envers lui n'avait été dictée que par son terrible chagrin. Après de nombreuses disputes, des règlements de comptes, des déchirements et des pleurs, ils avaient fait l'amour d'une manière totale et si surprenante. C'était une sensation unique de redécouvrir ce que l'on croyait connaître par cœur. Il ne s'agissait pas d'une seconde chance, mais d'une réelle renaissance.

Bien sûr, je voyais qu'elle pensait à moi. Je pouvais lire dans ses yeux son désarroi. Elle ne savait que faire de notre relation. Je n'avais pas besoin de mots. Son regard me racontait qu'elle était bien en ma compagnie, mais c'était un sentiment limité. Elle m'adorait certainement, et avait sûrement été capable de me voir tel que j'étais : doux et un peu fou, finalement. Ce sont les deux mots qu'elle avait employés pour me décrire, je l'aimais pour cette justesse-là. Et je l'aimais tout court. Ce qui se passait était si injuste. Devais-je me battre ? Il me paraissait dérisoire de tenter quoi que ce soit. Elle m'informait une fois la bataille finie. Elle avait combattu contre elle-même, seule, et ne cherchait pas à discuter, mais simplement à m'informer. Je me retrouvais devant un fait accompli, sans arme ni espoir. En moi, la rage le disputait au désespoir. Tout se mélangeait dans une grande confusion pour finalement ne former qu'une seule émotion, dominante, maîtresse absolue : la tristesse. Oui, une tristesse profonde qui s'emparait de moi, au point que j'avais du mal à parler. Et pourtant, je dis simplement :

« Et moi ?

— ...

— Et moi dans tout ça ?

— C'est horrible à dire... mais je crois que c'est justement parce que tu as été là que je peux retourner avec lui. Je me dis... que j'ai aussi vécu quelque chose. Et nous nous retrouvons d'une manière plus égale.

— Tu te rends compte de ce que tu me dis ? J'aurais dû te repousser pour que tu ne retournes pas avec lui...

— Peut-être...

— C'est tordu.

— Bernard, tout est tordu. Tout est tordu depuis le début. Je t'en prie, ne m'en veux pas. Essaie de me comprendre...

— ... »

Elle a voulu me prendre la main, mais la mienne a reculé instinctivement. Ce n'avait pas été une décision de mon esprit, mais la pure manifestation de mon corps. Je ne voulais plus qu'elle me touche.

11

Les choses allèrent ensuite assez vite. Nous étions suffisamment raisonnables pour continuer à nous occuper du magasin, même si certains moments furent particulièrement difficiles. Sylvie quitta l'appartement pour retourner vivre en couple, et me proposa de m'y installer à sa place. J'allais vivre non pas avec elle, mais chez elle. C'était tellement symbolique de ma vie. Comme l'apothéose d'un décalage permanent avec mon destin. Elle m'annonça ensuite qu'elle allait faire un long voyage avec son mari, pour fêter leurs retrouvailles. Cette nouvelle me soulageait presque. Je ne supportais plus de la voir chaque jour. Je ne comprenais pas vraiment pourquoi elle était retournée avec lui, si vite, sans résister. Au fond, il n'y avait pas grand-chose à en penser. Elle l'aimait comme elle ne m'aimait pas. J'allais mettre du temps à pouvoir simplement admettre que nous avions vécu des moments merveilleux. Notre histoire avait été brève mais belle.

Valait-il mieux ne rien vivre plutôt que d'aimer puis souffrir ? J'allais progressivement vers la seconde possibilité.

Pour pallier son départ, nous avons embauché quelqu'un. Notre choix s'est porté sur un jeune garçon, Michel. Il avait l'air d'un de ces névropathes perfusés aux jeux vidéo ; une sorte d'autiste de la réalité ; j'ai pensé qu'on s'entendrait bien. Malgré son côté réservé, il était très énergique et débrouillard. Il était doté d'un physique étrange[16], et je sentais bien que nous allions former un duo à la fois complémentaire et homogène. Il aimait travailler dur, et le soir nous buvions des bières dans le magasin vide. J'appris qu'il lisait énormément, et même : il écrivait. Il préparait d'ailleurs un livre sur Lovecraft, un écrivain de science-fiction que je ne connaissais pas du tout. « Tu devrais le lire », me conseilla-t-il, avant d'ajouter d'une manière énigmatique : « La vérité du monde est toujours dans l'ailleurs. » On philosophait gentiment, et ça me faisait du bien. Avec lui, j'avais l'impression d'intégrer à nouveau la vie, mais par une issue de secours. Je le sentais tour à tour perdu et résolu,

16. Il avait, par exemple, davantage de poils sur les bras que sur la tête.

immense et incertain. Il était de moins en moins improbable que nous devenions de véritables amis.

Il restait parfois dîner le soir avec moi, et comme je n'avais pas de quoi mettre un peu de musique, on allumait la télévision pour le fond sonore. Un soir, nous sommes tombés sur un reportage diffusé sur une chaîne d'info qui évoquait la crise en Grèce. Un homme parlait à une journaliste, et j'ai trouvé qu'il me ressemblait un peu. Michel était d'accord : « Il est la version grecque de toi. » L'homme évoquait le fait que la crise poussait les gens à se passer d'argent. On échangeait de plus en plus ; on faisait du troc. À cet instant, il prononça une phrase qui nous marqua profondément : « Avec beaucoup de clous, on peut acheter une voiture. » Michel et moi avons commenté toute la soirée cette immense déclaration. Elle possédait une telle valeur symbolique pour nous qui vivions au cœur d'un trésor de clous. De manière surprenante, cette phrase me permettait de renouer avec une sorte d'optimisme. Il me semblait que tout pourrait advenir maintenant.

Et même la beauté.

Épilogue

Le dimanche suivant, j'invitai mes parents à dîner. C'était très important pour moi de les remercier pour tout ce qu'ils avaient fait. Certes, je n'avais pas toujours compris leur façon d'être, mais il fallait parfois résumer une relation à son cœur : ils avaient été là pour moi.

J'avais dû insister pour qu'ils viennent. Mon père détestait sortir. Chaque fois, ma mère devait le convaincre, et c'était à regret qu'il quittait son poste de télévision et ses rituels domestiques. Mais depuis ce qui s'était passé entre eux à la suite de mon esclandre, il avait grandement baissé sa capacité de résistance ; et donc d'égoïsme. Enfin, il ne fallait pas dépasser les bornes tout de même. J'avais voulu les inviter dans un bon restaurant, ce qui avait provoqué chez lui une réaction hystérique : « Quoi ? Mais pourquoi payer pour manger ? Alors qu'on peut manger chez nous ! » Je connaissais par cœur le refrain de la radinerie. Et cela ne changeait rien que ce soit moi qui les invite. Il était également radin avec l'argent des autres. Il entretenait un rapport archi-névrotique à toute dépense. La meilleure chose était donc de les inviter chez moi, à la quincaillerie. J'avais tout bien rangé. Je voulais être à la hauteur, tenter de rattraper en un dîner tout ce que j'avais perdu comme crédit au moment de ma longue déchéance. Cela dit, mes parents avaient suivi avec enthousiasme les péripéties qui m'avaient conduit à reprendre une quincaillerie (ils n'étaient évidemment pas au courant du volet sentimental), et je crois bien qu'ils avaient été assez surpris, finalement, par ma capacité à rebondir. Mon père m'avait dit quelques phrases qui me laissaient comprendre qu'il était plus ou moins fier de moi. Enfin, ses paroles de soutien avaient probablement été dictées par le soulagement de me voir partir.

J'avais pris du temps pour préparer le repas. Je m'étais décidé pour un menu italien, la cuisine préférée de ma mère. J'avais même concocté un tiramisu maison (à vrai dire, j'en avais tenté plusieurs dans la semaine, avec Michel pour cobaye culinaire). Pour la première fois, j'avais envie de bien faire les choses avec eux. Je voulais enfin passer un moment simple en leur compagnie, qui ne soit pas soumis à nos variations incessantes de n'importe quoi. En les voyant arriver chez moi habillés comme pour un mariage, j'ai admis qu'eux aussi avaient voulu souligner l'importance de cette soirée. Pendant des années, ils n'avaient pas fait tellement d'efforts, avaient même souvent manifesté un réel désintérêt pour tout ce que je faisais, et voilà qu'ils étaient là, maintenant, face à moi, engoncés dans leurs plus beaux habits. Ils étaient un peu absurdes et ridicules : ils étaient mes parents.

Jusqu'au dessert, nous avons passé une belle soirée. Nous sommes revenus sur les circonstances du hasard. Comment un dîner pour me présenter une femme, collègue de détresse, m'avait conduit à vivre et à travailler ici... « La vie est si surprenante », avait alors dit mon père, sans se rendre compte à quel point cette phrase dans sa bouche était grotesque, lui dont la personnalité était une autoroute tracée, précise, inaccessible à la moindre modification. Ma mère, à son tour, vanta les dernières péripéties de mon histoire. Elle ajouta ce petit commentaire : « Cela nous a fait un peu d'action, tout de même... » Mon histoire récente les avait divertis, c'était déjà ça. Enfin, je raconte tout ceci comme une conversation à bâtons rompus, mais il s'agissait de phrases éparses, lancées ici ou là entre les bouchées. Dans notre famille, nous avions toujours laissé une grande place au silence, comme si nous allions chercher au plus profond de nous des raisons de nous parler. Ainsi, sans être d'une sociabilité débordante, le dîner fut charmant. Avec pour sommet l'annonce du tiramisu maison. Ma mère parut touchée par cette intention. Mon père, éternel pragmatique, coupa mon effet en me demandant de lui indiquer les toilettes. « C'est au fond du couloir... » dis-je, en oubliant à quel point il n'avait pas le sens de l'orientation. C'était peut-être pour ça qu'il n'aimait pas sortir de chez lui.

J'ai servi le dessert, mais nous ne voulions pas commencer sans lui. Que faisait-il ? Cela faisait maintenant plusieurs minutes qu'il était parti. J'espérai qu'il n'avait pas un problème de digestion ou quelque chose comme ça. Si jamais il n'avait pas digéré un aliment ingéré chez moi, je pouvais être certain d'en entendre parler pendant des mois. J'allais me lever pour aller voir ce qui se passait quand il revint. Visiblement, quelque chose de grave s'était produit. Il était livide. Ma mère s'inquiéta aussitôt :

« Raymond... qu'est-ce qui se passe ? Tu es tout blanc !

— ...

— Ça va papa ? » demandai-je à mon tour.

Il ne répondait pas. Son attitude était inquiétante, pourtant, il ne semblait pas si mal en point. C'était autre chose. Il semblait figé dans une colère froide. C'est alors qu'il explosa :

« C'est pas une quincaillerie, c'est un sex-shop ! Tu entends ? Ton fils fait du porno !

— Quoi ? s'étouffa ma mère.

— Oui ! Ce n'est pas une quincaillerie, je te dis !

— Attends... papa... je vais t'expliquer.

— Il n'y a rien à expliquer... j'ai tout vu ! »

Mon père s'était trompé de chemin : au bout du couloir, il était tombé sur l'escalier qui menait directement à la section érotique du magasin. Si les parents de Sylvie avaient été mis au courant, je m'étais gardé d'évoquer cette partie-là du projet avec les miens. Mon père était impossible à calmer. Le dîner sombrait maintenant dans un naufrage. On ne me laissait pas m'expliquer. Mon père saisit son manteau, intima à ma mère l'ordre de faire pareil, et me lança avant de partir : « Mais qu'est-ce qu'on a fait pour avoir un enfant comme toi !!! Ce n'est pas possible ! Mais quelle honte ! Comment as-tu pu nous faire ça ? Ah !!! » J'ai tenté de les retenir, mais rien à faire. Mon père continuait à hurler sa honte. Ma mère le suivait, paniquée. Elle eut tout juste le temps de m'adresser de la main un petit signe désolé.

Et c'est ainsi que je me suis retrouvé seul avec mon tiramisu maison.

Je me suis approché de la fenêtre, pour les observer dans la rue. Je n'en revenais pas. La catastrophe ne cesserait donc jamais d'être notre refrain. En marchant vers leur voiture, ils faisaient de grands gestes. À cet instant, je ne me suis pas senti catastrophé ou gêné, ni même triste ou désemparé, non, rien de tout ça. Au contraire, je me suis mis à rire.

Conception graphique : © Éditions J'ai lu

Composition
NORD COMPO

Achevé d'imprimer en Espagne
par BLACK PRINT CPI
le 8 décembre 2013.

Dépôt légal : décembre 2013.
EAN 9782290077443
OTP L21EDDN000530N001

ÉDITIONS J'AI LU
87, quai Panhard-et-Levassor, 75013 Paris

Diffusion France et étranger : Flammarion.